métro 2

Rouge

Rosi McNab

Heinemann

Heinemann Educational Publishers, Halley Court, Jordan Hill, Oxford OX2 8EJ
A division of Reed Educational & Professional Publishing Limited

Heinemann is a registered trademark of Reed Educational & Professional Publishing Limited

OXFORD MELBOURNE AUCKLAND IBADAN
BLANTYRE JOHANNESBURG GABORONE
PORTSMOUTH (NH) USA CHICAGO

First published 2000

06 05 04 03 02
10 9 8 7

A catalogue record is available for this book from the British Library on request.

ISBN 0 435 37132 0

Produced by Ken Vail Graphic Design

Illustrations by Graham-Cameron Illustration (Mike Dodd, Antony Maher and Noriko Toyama), Celia Hart, Linda Jeffrey, Sylvie Poggio Artists Agency (Nick Duffy, Tony Forbes, Roger Langridge and Paul McCaffrey) and Chris Smedley.

Cover design by Miller, Craig and Cocking

Cover photograph by Robert Harding.

Printed and bound in Spain by Edelvives.

Acknowledgements

The author would like to thank Gaëlle Amiot-Cadey, Christine Arthur, Rachel Aucott, Nathalie Barrabé, M. Bichon and the teachers and pupils at Collège Volney, Craon, Marie-Thérèse Bougard, François Casays, Diane Collett, Anne Gibbens, Liz Graham, Michael Gray, Julie Green, Joan Henry, Danièle Jouhandin, Sara McKenna, Sarah Provan, Christine Ross, M. Sarché, Jocelyn Stockley, Kathryn Tate, and the students of the Association Cours D'Art Dramatique, Rouen, for their help in the making of this course.

Teacher Consultants: Jonathan Fawcett of Heanor Gate School, Heanor, Derbyshire, Michael Gray of King Edward VI Grammar School, Chelmsford

The author and publishers would like to thank the following for permission to reproduce copyright material: **Okapi** (Bayard Presse) 1998 p. 54, **RATP, Air France, SNCF, P&O European Ferries, Eurotunnel Group, Eurolines UK Ltd, Quick** p. 80, GBVI p. 36 (Jeanne d'Arc), Seagram ('Shakespeare in Love' and 'The Mummy')

Photographs were provided by **Pictor** p. 11 (Nicholas), p. 73 (Thomas), **Science & Society photo library** p. 19 (first flight in an aeroplane between England and France), **Hulton Getty** p. 19 (Paul and Marie Curie), **Moviestore** p. 36 (Star Wars: The Phantom Menace), **Pictorial Press** p. 56 (TV series 'Friends'), **Tony Stone** p. 42 (Françine and Amélie), p. 45 (Céline Dinelli), p. 92 (Parisian street scene), **Gareth Boden** pp 72 (food), p. 121 (almonds, walnuts, hazelnuts, figs), **Images** p. 82 (Pompidou Centre and Louvre Museum), **Photodisc** p. 82 (Notre Dame cathedral and Eiffel tower), **Corbis** p. 82 (Arc de Triomphe), p.115 (Bataille des Fleurs), p. 117 (DJ in radio station), **FUAJ** p. 98 (Dieppe and Boulogne Youth Hostels). All other photos are provided by **Steve J. Benbow** and Heinemann Educational Publishers.

Tel: 01865 888058 www.heinemann.co.uk

métro 2

Rosi McNab

Heinemann

Table des matières

Module 1 – Salut!

Module 2 – Ma vie

Module 3 – Famille et copains

MODULE 1

SALUT!

1 *Je me présente …*

Talking about yourself and someone else

Je m'appelle Thierry. J'habite à Québec, au Canada. Je suis canadien. J'ai treize ans. J'ai les yeux bruns et les cheveux bruns. Je n'ai pas de frères et sœurs.

Mon nom est Patrice. Je suis français et j'habite à Paris en France. J'ai les yeux noisette et les cheveux blonds et courts. J'ai douze ans. J'ai un frère mais je n'ai pas de sœur.

Je m'appelle Véréna. J'habite à Lausanne, en Suisse. J'ai une sœur jumelle qui s'appelle Anne-Laure. Nous sommes suisses. Nous avons quatorze ans. Nous avons toutes les deux les yeux bleus. Anne-Laure a les cheveux châtains et moi, j'ai les cheveux blonds. Nous avons un grand frère qui s'appelle Pascal. Il a seize ans. Nous n'avons pas d'animal.

Je m'appelle Isabelle. Je suis antillaise. Je suis née à la Martinique, dans les Antilles, mais mon père travaille à Paris. J'ai treize ans. J'ai les cheveux bruns et longs et les yeux bruns. J'ai deux sœurs mais je n'ai pas de frère.

jumelle	*twin*

A

B

C

D

ÉCOUTER **1a** **Écoute et lis.**

LIRE **1b** **Lis et trouve. Qui parle?**

1 Ma sœur a les yeux bleus.
2 J'habite à Paris.
3 Je n'ai pas de sœur.
4 Je suis canadien.
5 J'ai les cheveux longs.

PARLER **1c** **À deux, discutez. Qui est-ce?**

- 'A', qui est-ce?
- 'A', c'est … / Je ne sais pas.
- 'A', c'est … 'B', qui est-ce?
- 'B', c'est …

ÉCOUTER **1d** **Qui parle? Écoute et note.** (1–4)

ÉCRIRE **1e** **Copie et remplis la grille.**

Nom	Âge	Habite …	Nationalité	Yeux	Cheveux

Écris des phrases.
Exemple:
Elle s'appelle Véréna. Elle a … ans. Elle habite à … Elle est …
Et toi? Je m'appelle … J'ai …

ÉCOUTER **2a** **Qui est-ce? Copie et remplis la grille.** (1–4)

Nom	Âge	Habite …	Famille	Animal

Rappel **Avoir, Être, Habiter**

j'ai	je suis	j'habite
tu as	tu es	tu habites
il/elle a	il/elle est	il/elle habite
nous avons	nous sommes	nous habitons
vous avez	vous êtes	vous habitez
ils/elles ont	ils/elles sont	ils/elles habitent

PARLER **2b** **À tour de rôle. Choisis une personne et présente-la.**
Exemple:
Il/Elle s'appelle …

ÉCRIRE **3a** **Copie et complète les questions.**

Comment tu t'appelles?
Quel âge ______-______?
Où ______-______?
______-______ des frères et sœurs?
______-______ un animal?

ÉCRIRE **3b** **Prépare tes réponses. Choisis:**

a ta personnalité (Madonna; Éric Cantona; Astérix, etc.)
b ton âge (5 ans, 12 ans, 21 ans, etc.)
c ton domicile (Paris, New York, Tokyo, etc.)
d tes frères et sœurs (1 frère, 2 sœurs, etc.)
e ton animal (un chien, un chat, un éléphant, etc.)

PARLER **3c** **Interviewe deux personnes.**

Pose des questions et note leurs réponses.

ÉCRIRE **3d** **Écris les réponses.**

Il/Elle s'appelle …

2 Qu'est-ce que tu as fait hier?

Saying what you did yesterday

En France, normalement, il n'y a pas cours le mercredi, par contre, on va au collège le samedi matin.

A

B

C

D

E

F

G

H

1 *J'ai regardé la télé.*

2 *J'ai joué au volley-ball.*

3 *J'ai joué au tennis.*

4 *J'ai fait mes devoirs.*

5 *J'ai joué aux cartes.*

6 *J'ai fait du vélo.*

7 *J'ai écouté de la musique.*

8 *J'ai joué de la guitare.*

LIRE **1a** **Quelle phrase correspond à quel dessin?**

ÉCOUTER **1b** **Hier c'était mercredi. Qu'est-ce qu'ils ont fait? Écoute et répète les réponses. (1–6)**

PARLER **1c** **À deux, à tour de rôle. Qui suis-je?**

Véréna	
Thierry	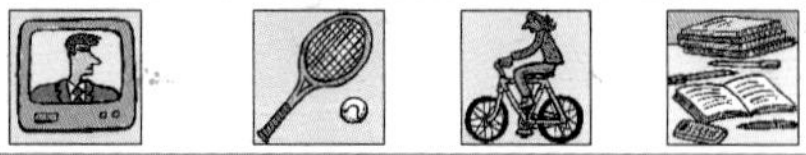
Patrice	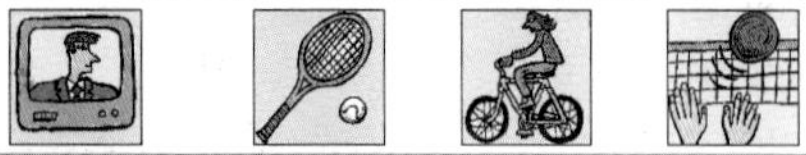
Isabelle	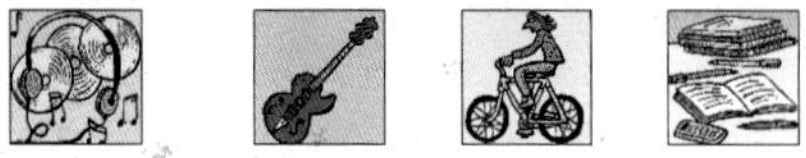

- Qu'est-ce que tu as fait?
- J'ai fait …/J'ai joué …
- Tu es Isabelle!
- Oui, c'est vrai./Non, c'est faux. Essaie encore!

Le détective

How to say what you have done at a certain time in the past.

In French you use the **passé composé** *or perfect tense. This is usually formed by using the present tense of* **avoir** *and the past participle of the verb.*

jouer	*to play*
j'ai joué	*I have played*
tu as joué	*you have played*
il/elle a joué	*he/she has played*

How to form the past participle of **–er** *verbs: Take off the* **er** *and replace it with* **é**.

regarder	regardé
jouer	joué
but faire	fait

Pour en savoir plus ➡ page 128, pt 2.1

1d Qu'est-ce qu'ils ont fait? Écoute et note.

Constance Nadège Didier Auban

1e Copie et complète. Qu'est-ce qu'ils ont fait?

Hier j'ai fait mes …, j'ai écouté …, j'ai joué au volley, mais je n'ai pas fait de …

Constance

Moi, j'ai … du vélo, j'ai … aux cartes. J'ai … la télé mais je n'ai pas … de musique.

Nadège

J'ai

Didier

J'ai

Auban

2a À deux. Choisissez trois activités.

Ton/Ta partenaire te pose des questions pour savoir ce que tu as fait.

- As-tu …?
- Oui, j'ai … À toi!/Non, je n'ai pas …
- As-tu …?

Le détective

How to say you haven't done something.
Put **ne** *in front of the verb and* **pas** *after it.*

je n'ai pas fait	*I haven't done*
je n'ai pas joué	*I haven't played*
je n'ai pas regardé	*I haven't watched*

Remember that **du**, **de la** *and* **des** *all become* **de** *and* **de l'** *becomes* **d'** *in a negative sentence.*

j'ai fait du vélo	je n'ai pas fait de vélo
j'ai écouté de la musique	je n'ai pas écouté de musique

Pour en savoir plus ➡ page 137, pt 16

2b Qui est-ce? Anne-Laure ou Thierry?

Le matin, j'ai lu une BD. J'adore les BD. L'après-midi, j'ai joué au tennis avec ma copine et nous avons fait nos devoirs ensemble. Le soir, j'ai écouté de la musique. Je n'ai pas regardé la télé.
Anne-Laure

Le matin, j'ai joué avec mon ordinateur. L'après-midi, j'ai fait une balade en vélo avec mes copains et puis nous avons joué au volley-ball. Le soir, j'ai regardé une vidéo et j'ai écouté de la musique, mais je n'ai pas fait mes devoirs.
Thierry

3 *Samedi*

Talking about the past

Fichier Édition Affichage Insertion Format Outils Mes

Répondre Répondre à tous Transférer

Samedi matin, j'ai eu un cours de maths et un cours d'espagnol. À midi, j'ai mangé au Quick avec ma copine Sara. Puis nous avons pris le bus pour aller en ville. Nous avons fait les magasins. J'ai acheté un nouveau pull et elle a acheté des chaussettes. Nous avons rencontré des amies et nous avons bu un chocolat et mangé des tartes aux fraises. Le soir, j'ai fait un gâteau au chocolat. Puis j'ai joué aux échecs avec mon frère. J'ai gagné et nous avons mangé le gâteau.

Sandrine

Fichier Édition Affichage Insertion Format Outils Message

Répondre Répondre à tous Transférer

Je n'ai pas eu cours samedi dernier. Le matin, j'ai fait mes devoirs, j'ai lu mon livre et j'ai écrit une lettre à mon correspondant. L'après-midi, mon copain Gilles m'a invité à faire de la planche à voile avec lui et son père. J'ai mis ma combinaison de plongée et j'ai appris à faire de la planche. Le soir, j'ai regardé une vidéo sur la planche et j'ai vu le père de Gilles sur la vidéo. Il est champion régional. Puis, avant de dormir, j'ai écouté de la musique et j'ai lu une BD.

Marc

Rappel le passé composé

Remember: The passé composé translates the English: 'have played' and 'played'.

j'ai joué	*I (have) played*
tu as joué	*you (have) played*
il/elle a joué	*he/she (has) played*
nous avons joué	*we (have) played*
vous avez joué	*you (have) played*
ils/elles ont joué	*they (have) played*

Le détective

Past participles which end in **-u**, *in* **-t** *and in* **-s:**

avoir	eu	dire	dit	prendre	pris
boire	bu	faire	fait	apprendre	appris
lire	lu	écrire	écrit	mettre	mis
voir	vu				

Pour en savoir plus ➡ page 128, pt 2.1

LIRE **1a** **Lis et écoute. Vrai ou faux? Corrige les phrases qui sont fausses.**

a Samedi matin, Sandrine a eu un cours de français.
b Elle a mangé à la cantine.
c Elle a acheté des chaussettes.
d Elle a mangé des croissants.
e Elle a bu un coca.
f Elle a fait un sandwich au jambon.
g Elle a joué aux cartes avec son frère.
h Marc n'a pas eu cours.
i Le matin, il a fait du vélo.
j L'après-midi, il a appris à faire de la planche à voile.
k Le soir, il a joué aux cartes.
l Il a vu Gilles sur la vidéo.
m Il a écouté de la musique.
n Il a écrit une lettre.

1b ÉCOUTER Qu'est-ce qu'ils ont fait samedi après-midi?

Nicolas

Auban

Aurélie

Il/Elle a …

1c PARLER **À deux. Et toi? Qu'est-ce que tu as fait samedi dernier? Choisis cinq activités et interviewe ton/ta partenaire.**

- As-tu joué au …?
- Oui, j'ai joué …/Non. je n'ai pas joué au football.
- As-tu bu du …?
- Oui, j'ai bu du …/Non je n'ai pas bu de coca …

J'ai **As-tu** **Il/Elle a**	**mangé/joué/écouté/regardé** **bu/lu** **fait/écrit**

1d ÉCRIRE **Qu'est-ce qu'ils ont fait? Écris des phrases pour Nicolas, Auban et Aurélie.**

Exemple:
Nicolas: J'ai joué au football.

Mini-test	**I can …**
• introduce myself giving my name and age	
• say what I look like and where I live	
• say five things that I did yesterday …	
• … and one thing that I didn't do	
• … and ask someone what they did	

4 *La semaine de Pascal*

Saying where you have been and what you have done

Lundi *– Le matin je suis allé au collège. À 13h30 je suis rentré à la maison. J'ai mangé et puis je suis allé à la piscine avec mon amie Julie. Le soir je suis resté à la maison et j'ai révisé pour un contrôle de maths.*

Mardi *– Je suis rentré du collège à 13h00 et je suis allé chez ma copine. Nous avons fait nos devoirs ensemble. Le soir nous sommes allés au bord du lac.*

Mercredi *– Après le collège je suis allé en ville. J'ai fait du shopping avec Julie. Puis nous sommes allés au parc et nous avons fait du roller. Nous sommes rentrés à 19h00.*

Jeudi *– Le matin je suis allé au collège et l'après-midi Julie et moi, nous avons fait une balade à vélo. Le soir je suis allé au cinéma avec mon copain Éric. Julie n'aime pas les films de science-fiction. Elle est allée chez sa copine.*

Vendredi *– Le matin je suis allé au centre aéré avec ma classe. Nous avons fait du canoë-kayak. L'après-midi je suis allé à la piscine.*

Samedi *- Le matin je suis allé à la pêche avec mon père. L'après-midi je suis allé au terrain de sports et le soir j'ai surfé sur le net. Julie est allée chez sa tante pour faire du babysitting.*

Dimanche *- À midi nous sommes allés chez mes grands-parents. Nous sommes allés au restaurant du village. Après le déjeuner les autres sont rentrés à la maison et moi, je suis allé faire une promenade avec le chien de mes grands-parents, un énorme chien saint-bernard, qui s'appelle Maximilien.*

LIRE **1a** **Lis et comprends. Choisis trois mots que tu ne connais pas. Pose la question à ton/ta partenaire.**

- (Le matin), qu'est-ce que c'est en anglais?
- ('Morning')./Je ne sais pas. Il faut chercher dans le vocabulaire.

réviser	*to revise*
centre aéré	*outdoor centre*
le lac	*lake*

LIRE **1b** **C'est quel jour?**

A

B

C

D

E

F

G

1c PARLER **À deux, à tour de rôle. Posez et répondez aux questions.**

C'est quel jour …?

- Je suis allé à la piscine avec mon amie Julie.
- *C'est lundi.*

Je suis allé en ville, faire du shopping.
Je suis allé au cinéma.
Je suis allé chez mes grands-parents.
Je suis allé au bord du lac.
Je suis allé au parc.

1d ÉCOUTER **C'est quel jour? Écoute et répète.** (1–7)

2a PARLER **Où es-tu allé(e)? À tour de rôle. Où es-tu allé(e) lundi/mardi …?**

Le détective

More about the perfect tense.
Most verbs take **avoir** *but some verbs take* **être.**

j'ai mangé	*but*	je suis allé(e)
tu as mangé		tu es allé(e)
il/elle a mangé		il/elle est allé(e)
nous avons mangé		nous sommes allé(e)s
vous avez mangé		vous êtes allé(e)s
ils/elles ont mangé		ils/elles sont allé(e)s

aller *(to go),* **rester** *(to stay) and* **rentrer** *(to go back/return) are some of the verbs which take* **être.** *Notice how the past participle agrees with the subject (the person or thing 'doing' the action) after* **'être'** *verbs:* **Il est allé, elle est allée.**

Pour en savoir plus ➡ page 129, pt 2.2

Lundi matin soir	je suis allé(e)	au collège/cinéma/restaurant/parc
		à la piscine/pêche
		en ville
		chez mon copain/ma copine/mes copains/mes grands-parents
	je suis resté(e)	au lit
		à la maison

lundi **mardi** **mercredi** **jeudi** **vendredi** **samedi** **dimanche**

2b ÉCRIRE **Copie et complète les phrases.**

Lundi matin je suis allé(e) (au collège).

Le soir je suis (resté(e) à la maison/allé(e) en ville) …

5 *Un jour de congé ...*

A special day out

A

B

C

D

E

F

G

H

LIRE 1 **Où sont-ils allés? Qu'est-ce qu'ils ont fait?**

1 *Je suis allée à la montagne. J'ai fait une longue randonnée avec mon père.*

2 *Je suis allée à la plage avec mes copains. Nous avons fait de la planche à voile.*

3 *Nous sommes allés à la campagne chez mes grands-parents. J'ai fait du cheval.*

4 *Je suis allé à Paris avec mes parents. Nous avons visité tous les monuments célèbres.*

5 *Je suis allé au parc d'attractions. J'ai fait le tour des manèges. C'était super!*

6 *Je suis restée à la maison. J'ai lu au moins vingt livres.*

7 *Je suis allé au stade avec mon frère. Nous avons assisté à un match de foot.*

8 *Je suis allé au lac et j'ai attrapé des poissons.*

Rappel

j'ai fait	nous avons fait	je suis allé(e)	nous sommes allé(e)s
tu as fait	vous avez fait	tu es allé(e)	vous êtes allé(e)s
il/elle a fait	ils/elles ont fait	il/elle est allé(e)	ils/elles sont allé(e)s

attraper *to catch*

PARLER 2a Où es-tu allé(e)?

Où es-tu allé(e)?

Je suis allé(e)  . Et toi?

Je suis allé(e)  . Et Marc?

Il est allé  . Et Isabelle?

Elle est allée  . Et Patrice et son frère?

Ils sont allés  . Et les filles?

Elles sont allées  . Et vous?

Nous sommes resté(e)s  .

PARLER 2b Qu'est-ce que tu as fait?

Qu'est-ce que tu as fait?

J'ai  . Et toi?

J'ai  . Et Marc?

Il a  . Et Isabelle?

Elle a  . Et Patrice et son frère?

Ils ont  . Et les filles?

Elles ont  . Et vous?

Nous avons  .

ÉCRIRE 2c Copie et complète la lettre de Delphine.

Hier, je … allée au parc d'attractions avec mes parents et mon petit frère. Nous … allés au Parc Disneyland. J' … fait le tour des manèges et j' … mangé deux glaces! Mon copain Paul … resté à la maison. Il a lu beaucoup de livres et … regardé beaucoup de vidéos. Mes copines Nathalie et Isabelle … allées à Paris avec leurs parents. Elles … visité le Louvre et … allées à la Cité des Sciences et de l'Industrie. Où … -tu allé? Qu'est-ce que tu as fait?

ÉCRIRE 2d Écris une réponse.

ÉCOUTER 3 Où sont-ils allés? Qu'est-ce qu'ils ont fait? C'était comment? (1–4)

M. et Mme Dubarry **Louise et Sarah** **Nicolas** **Nous**

A à la plage
B à Lyon
C à Paris
D au lac

E 
G 
F 
H 

I pas mal
J cool
K super
L fatigant

Bilan et Contrôle révision

I can …	
● *introduce myself giving my name and age*	Je m'appelle … J'ai (douze) ans
● *say what I look like …*	J'ai les cheveux (bruns) et les yeux (bleus)
● *… and where I live*	J'habite (à Londres, en Angleterre)
● *talk about someone else*	Il/Elle s'appelle … Il/Elle a (douze) ans … Il/Elle a les cheveux … et les yeux … Il/Elle habite …
Using the past tense (perfect or passé composé)	
I can …	
● *say five things that I have done …*	J'ai bu, écouté, écrit, fait, joué, lu, mangé, regardé
● *… and one thing that I didn't do*	Je n'ai pas …
● *ask someone what they did …*	As-tu …?
● *… and report back*	Il/Elle a … Ils/Elles ont … Nous avons …
I can …	
● *say where I went …*	Je suis allé(e) à la piscine, en ville, au cinéma, chez mes grands-parents, chez mon copain/ ma copine
● *… or that I stayed at home*	Je suis resté(e) à la maison
● *ask someone where they went …*	Où es-tu allé(e)?
● *… and report back*	Il/Elle est allé(e) … Ils sont allés/Elles sont allées … Nous sommes allé(e)s …

ÉCOUTER **1** Écoute et remplis la grille.

	Nom	Âge	Habite …	Nationalité	Famille	Cheveux	Yeux
1	*Mélanie*						
2							
3							

PARLER **2** Présente Olivier ou Aisha.

Nom	Olivier	Aisha
Âge	13	14
Habite …	Paris	Lyon
Famille		
Cheveux	blonds	bruns
Yeux	bleus	noisette

LIRE **3** Où sont-ils allés et qu'est-ce qu'ils ont fait hier? Copie et remplis une grille pour Sandrine, Thomas et François.

	Matin	Après-midi	Soir
Sandrine			
où?			
fait?			
✗ fait?			

Le matin, je suis restée à la maison et j'ai lu une BD. L'après-midi, je suis allée à la campagne et j'ai joué au tennis avec ma copine. Le soir, je suis allée chez mon copain et nous avons écouté de la musique. Je n'ai pas regardé la télé.
Sandrine

Le matin, je suis allé en ville avec ma copine. Nous avons vu un film. L'après-midi, je suis allé à la campagne avec mes copains. Nous avons fait une balade en vélo. Le soir, je suis resté à la maison et j'ai regardé une vidéo, mais je n'ai pas fait mes devoirs.
Thomas

Le matin, je suis resté au lit. L'après-midi, je suis allé chez ma copine et nous avons fait nos devoirs ensemble. Le soir nous sommes allés au cinéma en ville. Je n'ai pas joué au tennis. **François**

ÉCRIRE **4** Où es-tu allé(e) et qu'est-ce que tu as fait?
Et Gérard? Où est-il allé et qu'est-ce qu'il a fait?

	moi	Gérard
matin		 
après-midi	  	 
soir	 	  

En Plus *Quiz*

LIRE **1a** Lis et comprends. Qui a ...?

You don't need to understand every word! Which are the key words you need to know? Which words are like English words?

1. Qui a fait la première traversée en avion entre la France et l'Angleterre?
2. Qui a fait le premier voyage en ballon?
3. Qui a découvert la radioactivité?
4. Qui a inventé un alphabet pour les gens qui ne peuvent pas voir?
5. Qui a inventé la photographie en couleur?
6. Qui a découvert que la terre tourne autour du soleil?
7. Qui a découvert le radium?
8. Qui a écrit *Notre Dame de Paris*?
9. Qui a inventé le vaccin contre la rage?
10. Qui a inventé le scaphandre autonome pour respirer sous l'eau?
11. Qui est le 'père' de Mickey Mouse?

A

Deux physiciens français, Paul et Marie Curie, qui ont traité 8 tonnes de matériaux ont obtenu un gramme de radium. Le radium est un métal hautement radioactif qui est utilisé en médecine pour faire des radios.

B

Le physicien français Henri Becquerel (1852–1908) a découvert que certains matériaux émettent des rayons invisibles.

C

Louis Pasteur a découvert qu'on pouvait tuer les microbes du lait en le portant à une température de 120°C. On appelle le processus 'pasteurisation'.

D

Louis Braille, professeur et organiste français (1809–1852). Devenu aveugle à l'âge de 3 ans, il a travaillé comme professeur à l'Institution des aveugles où il a inventé le système d'écriture en points, qu'on 'lit' avec les bouts des doigts.

E

Pour filmer sous l'eau, le commandant Jacques Cousteau, officier de la Marine française, a inventé des bouteilles d'oxygène légères et des caméras spéciales.

F

En 1907, les frères Lumière ont fait les premières photographies en couleurs et le premier film.

H

Le réalisateur de dessins animés Walt Disney a inventé plusieurs personnages comme le chien Pluto et le canard Donald Duck.

G

En 1783, deux frères français Joseph et Étienne Montgolfier, ont inventé un ballon capable de porter des passagers, mais leurs premiers passagers étaient … un mouton, un coq et un âne!

J

Galilée, dit Galileo Galilei, mathématicien, physicien et astronome italien (1565–1642), a découvert que la terre tourne autour du soleil. (Les anciens croyaient que le soleil tournait autour de la terre.)

I

Victor Hugo, grand écrivain du XIXe siècle, est auteur des pièces de théâtre et des romans comme *Les Misérables* et *Notre Dame de Paris.*

K

Un pilote français, Louis Blériot, a fait le premier vol au dessus de la Manche en 1909.

ÉCOUTER **1b** **Écoute et vérifie.**

ÉCOUTER 2a Où sont-ils allés et qu'est-ce qu'ils ont fait?

Je suis allé(e) …

au restaurant

au café

en ville

à la maison des jeunes

et j'ai mangé …

des spaghettis

un poulet-frites

une salade

du poisson

et j'ai bu …

du coca light

du thé

de la limonade

de l'Orangina

et j'ai acheté …

un pullover

des chaussettes

une BD

un cadeau

et j'ai joué …

au basket

au volley

au tennis

au hockey

et j'ai fait …

du judo

du karaté

de la gymnastique

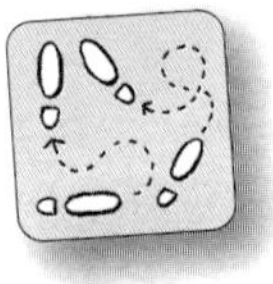
de la danse

PARLER 2b À deux, à tour de rôle. Ajoute une nouvelle activité à chaque fois.

- Je suis allé(e) …
- Et j'ai mangé …

ÉCRIRE 2c Fais la liste de ce que vous avez fait!

Je suis allé(e) et j'ai …
Il/Elle est allé(e) et il/elle a …

Ton prof la corrige. Puis recopie sans erreurs.

Chanson

Je m'appelle Joris,
J'habite en Suisse.
Et mon jumeau
S'appelle Léo.
Je suis petit,
J'aime le mardi.
Léo aussi.

Refrain

La vie est belle,
Le monde est beau,
Avec une sœur jumelle,
Avec un frère jumeau.
Margot, Estelle ou Annabel,
Abdel, Thibaud ou Roméo.

Je m'appelle Gervaise,
Je suis antillaise.
Et ma jumelle
S'appelle Estelle.
J'ai les yeux gris,
J'aime les souris.
Estelle aussi.

Refrain

Avec Léo,
Mon frère jumeau,
Je fais du vélo,
Je mange au McDo,
Je joue du piano,
Ou je ne fais rien,
Et c'est très bien.

Refrain

Avec Estelle,
Ma sœur jumelle,
Le mardi soir,
Je fais mes devoirs,
Je joue de la guitare,
Ou je ne fais rien,
Et c'est très bien.

Refrain

LIRE **1** **Recopie une ligne de la chanson pour chaque dessin.**

A

B

C

D

ÉCRIRE **2** **Utilise les mots suivants (ou d'autres mots) pour écrire un nouveau couplet.**

le couplet *verse*

Clémence – France
Hugo/Arielle
les cheveux bruns – adore les chiens

Mots

Comment tu t'appelles?	***What are you called?***
Je m'appelle …	*I am called …*
Où habites-tu?	*Where do you live?*
J'habite …	*I live …*
à Paris	*in Paris*
en France	*in France*
en Angleterre	*in England*
en Écosse	*in Scotland*
en Irlande	*in Ireland*
au pays de Galles	*in Wales*
en Suisse	*in Switzerland*
au Canada	*in Canada*
Je suis né(e) (en France /au Canada).	*I was born (in France/Canada).*

Tu es de quelle nationalité?	***What nationality are you?***
Je suis …	*I am …*
anglais(e)	*English*
antillais(e)	*West Indian*
canadien(ne)	*Canadian*
écossais(e)	*Scottish*
français(e)	*French*
gallois(e)	*Welsh*
irlandais(e)	*Irish*
suisse	*Swiss*

Ma description	***About me***
Quel âge as-tu?	*How old are you?*
J'ai (onze/douze/ treize/quatorze) ans.	*I am (11/12/13/14) years old.*
Tu as les yeux et les cheveux de quelle couleur?	*What colour hair and eyes do you have?*
J'ai …	*I have …*
les yeux bleus	*blue eyes*
les yeux bruns	*brown eyes*
les yeux noisette	*hazel eyes*
J'ai …	*I have*
les cheveux blonds	*fair hair*
les cheveux bruns	*brown hair*
les cheveux châtains	*chestnut hair*
les cheveux courts	*short hair*
les cheveux longs	*long hair*
les cheveux bouclés	*curly hair*

Ta famille	***Your family***
As-tu des frères et sœurs?	*Have you any brothers and sisters?*
J'ai …	*I have …*
un frère/deux frères	*one brother/two brothers*
un frère jumeau	*a twin brother*
une sœur/deux sœurs	*one sister/two sisters*
une sœur jumelle	*a twin sister*
Je n'ai pas de frères et sœurs.	*I haven't any brothers or sisters.*
nous sommes …	*we are …*
nous avons …	*we have …*

Des verbes utiles	**Some useful verbs**
acheter	*to buy*
apprendre	*to learn*
avoir	*to have*
boire	*to drink*
dire	*to say*
écouter	*to listen to*
écrire	*to write*
être	*to be*
faire	*to do*
gagner	*to win*
habiter	*to live*
jouer	*to play*
lire	*to read*
manger	*to eat*
mettre	*to put*
prendre	*to take*
regarder	*to watch*
rencontrer	*to meet*
voir	*to see*

Qu'est-ce que tu as fait?	***What did you do?***
J'ai regardé la télé.	*I watched TV.*
J'ai joué ...	*I played ...*
au football	*football*
au tennis	*tennis*
au volley-ball	*volleyball*
aux cartes/échecs	*cards/chess*
de la guitare	*the guitar*
avec mon ordinateur	*on my computer*
J'ai écouté de la musique.	*I listened to music.*
J'ai fait du cheval.	*I went horse-riding.*
J'ai fait du vélo.	*I rode my bike.*
J'ai fait une randonnée.	*I went hiking.*
J'ai fait mes devoirs.	*I did my homework.*
J'ai fait les magasins.	*I went shopping.*
J'ai mangé un sandwich.	*I ate a sandwich.*
J'ai bu un coca.	*I drank a coke.*
J'ai rencontré mon copain.	*I met my friend.*
J'ai acheté un nouveau pull.	*I bought a new pullover.*
J'ai gagné!	*I won!*
J'ai lu un livre.	*I read a book.*
J'ai vu un film.	*I saw a film.*
J'ai écrit une lettre.	*I wrote a letter.*
J'ai mis mon pull.	*I put on my pullover.*
J'ai appris ...	*I learned ...*
Je n'ai pas fait de vélo.	*I didn't ride my bike.*
Je n'ai pas joué ...	*I didn't play ...*
Je n'ai pas regardé ...	*I didn't watch ...*
Je n'ai pas écouté ...	*I didn't listen to ...*

Où es-tu allé(e)?	***Where have you been?***
Je suis allé(e) ...	*I went ...*
au collège/au cinéma.	*to school/to the cinema*
au parc	*to the park*
au stade	*to the sports stadium*
au lac	*to the lake*
au parc d'attractions	*to the theme park*
à la piscine/à la pêche	*to the swimming pool/fishing*
Je suis allé(e) à la montagne/à la campagne.	*I went to the mountains/the country.*
à la plage	*to the beach*
à Paris	*to Paris*
en ville	*to town*
chez mon copain	*to my friend's house*
Je suis rentré(e) à la maison.	*I went home.*
Je suis resté(e) à la maison.	*I stayed at home.*

Et vous?	***And you?***
Nous sommes allé(e)s ...	*We went ...*
Nous sommes resté(e)s à la maison.	*We stayed at home.*
Nous sommes allé(e)s à la plage.	*We went to the beach.*
Nous avons acheté ...	*We bought ...*
Nous avons fait du camping.	*We went camping.*
C'était ...	*It was ...*
pas mal	*not bad*
cool	*cool*
super	*great*
fatigant	*tiring*

MODULE 2 MA VIE

1 *Le matin*

Talking about what you do in the morning

1

2

3

4

5

6

7

8

9

LIRE **1a** **Quelle phrase correspond à quel dessin?**

A *Je me réveille.*

B *Je me lève.*

C *Je me lave.*

D *Je me douche.*

E *Je m'habille.*

F *Je prends mon petit déjeuner.*

G *Je bois du chocolat chaud.*

H *Je mets mon manteau.*

I *Je sors.*

PARLER **1b** **Que fais-tu? À tour de rôle.**

- Un?
- Je me lave./Je me réveille.
- Vrai./Faux, c'est je me lave. … À toi.
- Deux?

ÉCOUTER **1c** **Que fait Nicolas? Écoute et note la bonne image en haut de la page. (1–9)**

Le détective

Reflexive verbs

You have already met **je m'appelle** *I am called*
The following verbs work in the same way.

se réveiller	*to wake up*	Je me réveille	*I wake up*
se lever	*to get up*	Je me lève	*I get up*
se laver	*to get washed*		
se doucher	*to have a shower*		
s'habiller	*to get dressed*		

Singular: je me lave tu te laves il/elle se lave

Pour en savoir plus ➡ page 130, pt 3

Je me réveille à sept heures moins le quart. Je me lève toute de suite, je me lave et je m'habille. Je mets un sweat et un jean. Je mange une tartine et je bois du café au lait. À sept heures et demie, je prends le car de ramassage pour aller au collège.

Kathy

Le matin, je me réveille à six heures et demie. Je me lève à sept heures et je me douche. Je m'habille. Je mange des céréales et un fruit et je bois du chocolat chaud. Je mets mon anorak et je sors de la maison à sept heures et demie.

Julien

LIRE **2a** **Réponds aux questions.**

1 À quelle heure Kathy se lève-t-elle?
2 Que met-elle pour aller au collège?
3 Que mange-t-elle?
4 Que boit-elle?
5 Comment va-t-elle au collège?
6 Que fait Julien à six heures et demie?
7 Que fait-il à sept heures?
8 Que mange-t-il?
9 Que boit-il?
10 À quelle heure sort-il de la maison?

LIRE **2b** **Qui parle?**

A As-tu vu mon jean?

B Je peux avoir encore du chocolat?

C Je peux avoir du lait pour mes Cornflakes?

D Il n'y a plus de bananes!

E Où est le beurre?

F J'ai perdu mon anorak!

G Sept heures moins le quart. Lève-toi!

H Dépêche-toi, tu vas rater le bus!

ÉCRIRE **3a** **Copie et complète la lettre de Laurent.**

Je  . Je  à  . Je  . Je  et je  et je  . Je  et je  à 7h20. Je  pour aller au collège.

ÉCRIRE **3b** **Que fais-tu? Décris ce que tu fais le matin avant de sortir. Apprends ta description par cœur.**

2 *Se lever et se coucher*

Saying when you get up and when you go to bed at the weekend

LIRE **1a** **Lis et écoute. Copie et remplis la grille.**

Le samedi, je me lève à six heures trente et je me couche à vingt et une heures. Le dimanche, je fais la grasse matinée. Je me lève à onze heures trente et je me couche à vingt et une heures.
Patrice

Le samedi, je me lève à six heures quarante-cinq pour aller au collège, et je me couche à vingt-deux heures. Le dimanche, je me lève à dix heures trente et je me couche à vingt et une heures quarante-cinq.
Isabelle

Le dimanche, je reste au lit jusqu'à midi, et je me couche à vingt-deux heures quinze. Le samedi mon premier cours est à dix heures et je me lève à huit heures quarante-cinq. Le soir, je vais souvent au cinéma et je me couche normalement à vingt-deux heures trente.
Thierry

Le samedi, ma sœur et moi, nous nous levons à huit heures trente parce qu'ici en Suisse nous n'avons pas de cours le samedi, et le soir nous dormons chez nos grands-parents. Nous regardons une vidéo, ou nous jouons aux jeux de société avec eux. Mon grand-père est champion de Scrabble! Nous nous couchons vers vingt-deux heures trente, et le dimanche, nous nous levons à onze heures trente et nous nous couchons à vingt et une heures!
Véréna

	samedi		*dimanche*	

Patrice				
Isabelle				
Thierry				
Véréna				

Le détective

How to say you get up and go to bed

se lever	***to get up***
je me lève	nous nous levons
tu te lèves	vous vous levez
il/elle se lève	ils/elles se lèvent
se coucher	***to go to bed***
je me couche	nous nous couchons
tu te couches	vous vous couchez
il/elle se couche	ils/elles se couchent

Pour en savoir plus ➡ page 130, pt 3

1b ÉCOUTER **Écoute et remplis la grille.** (1–4)

	samedi	*dimanche*

Olivier		
Fabien		
Laure		
Alexia		

Le détective

À quelle heure?

How to use the 24-hour clock.

12h00 douze heures *12 o'clock*
18h00 dix-huit heures *6 p.m.*
19h00 dix-neuf heures *7 p.m.*
20h30 vingt heures trente *8.30 p.m.*
21h45 vingt et une heures quarante-cinq *9.45 p.m.*
22h00 vingt-deux heures *10 p.m.*

Pour en savoir plus ➡ page 131, pt 4

1c PARLER **À deux, à tour de rôle.**

- Samedi Patrice se lève à … h et il se couche à … h.
- Isabelle se lève à … h et elle se couche à … h.

2a ÉCOUTER **Sondage de classe. Copie et remplis le tableau. À quelle heure se lèvent-ils et à quelle heure se couchent-ils?** (1–16)

Se lever

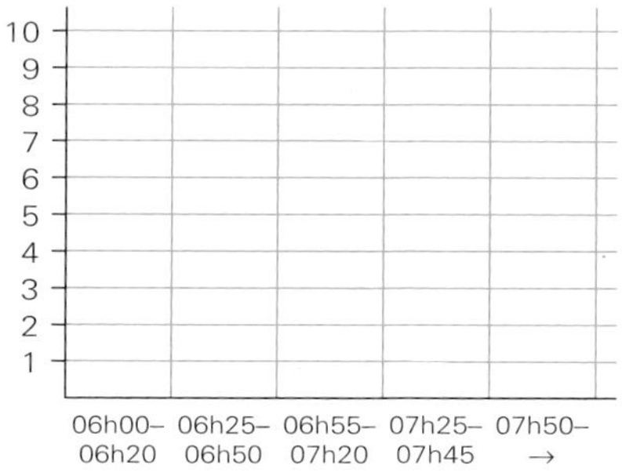

Se coucher

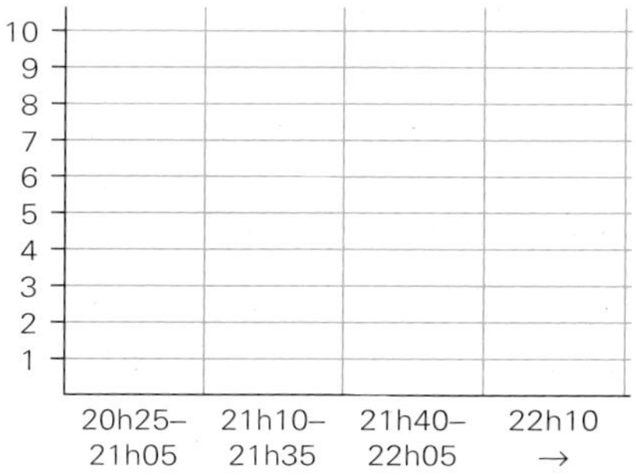

2b PARLER **Faites un sondage de classe.**

2c ÉCRIRE **Faites un résumé des résultats.**

Dans notre classe, il y a … personne(s) qui se lève(nt)/se couche(nt) à …h.
En France, la plupart des élèves se lèvent/se couchent entre … et …
Chez nous, la plupart des élèves se lèvent/se couchent à …h.

plus tôt	*earlier*
plus tard	*later*

2d PARLER **Discutez à deux: les différences. Vrai ou faux ou je ne sais pas.**

En France, on se lève plus tôt qu'en Angleterre.
Les cours commencent plus tôt en Angleterre.
Les cours finissent plus tard en Angleterre.
La journée est plus longue en Angleterre.
On a plus de devoirs à faire en Angleterre.
On se couche plus tard en Angleterre.
Les cours finissent plus tôt en France.
On a plus de cours en France.
On regarde plus la télévision en France.
On dort plus en Angleterre.

3 *Les clubs*

Talking about clubs you go to

Centre de loisirs

Salle polyvalente		
Cours de judo	mer. 14h00–16h00	sam. 14h00–16h00
Cours de basket	mer. 10h00–12h00	sam. 12h00–14h00
Club de badminton	mer. 16h00–18h00	sam. 16h00–18h00
Salle de gym		
Gymnastique rythmique et sportive	mer. 14h00–16h00	sam. 14h00–16h00
Cours de danse	mer. 10h00–12h00	sam. 12h00–14h00
Cours d'art dramatique	mer. 16h00–18h00	sam. 16h00–18h00
Club des jeunes		
Cours de guitare classique ou électrique	mer. 10h00–11h00	sam. 12h00–13h00
Orchestre	mer. 14h00–16h00	sam. 14h00–16h00
Musique rock	mer. 11h00–12h00	sam. 13h00–14h00
Groupe rap	mer. 16h00–18h00	sam. 16h00–18h00
Piscine olympique		
Les dauphins – club nautique	mer. 16h00–18h00	sam. 16h00–18h00
Plongée	mer. 14h00–16h00	sam. 14h00–16h00

Marc et Thierry

Lucille

Nicolas | Aurélie | Jabel | Loïc | Isabelle | Corinne et Anne-Laure

LIRE **1a** **Vrai ou faux? Corrige les phrases qui sont fausses!**

a Lucille fait de la guitare.
b Marc et Thierry font du judo.
c Nicolas fait de la plongée.
d Corinne et Anne-Laure font de la guitare.
e Isabelle fait de la gymnastique.
f Loïc fait du basket.
g Aurélie fait de la danse.
h Jabel fait du rap.

Rappel

***Faire* (to do) is an irregular verb.**

It doesn't follow a regular pattern so you have to make a special effort to learn it.

Singular	*Plural*
je fais	nous faisons
tu fais	vous faites
il/elle fait	ils/elles font

ÉCOUTER **1b** **Que font-ils? (1–8)**

Mélodie Benoît Murielle Alain Olivier Éric Marjolaine Jérôme

1c À deux. Que font-ils?

- Que fait Mélodie/Benoît?
- Elle/Il fait …
- Il y a un cours quand?
- Il y a un cours le mercredi/le samedi à … h
- Que fais-tu?
- Je fais du/de la …

2a Prépare une interview. Copie et complète les questions. 'Fais-tu' ou 'faites-vous'?

Aurélie, que ___-___?
Tom et Patrice, que ___-___?
Cédric, que ___-___?
Élodie et Kathy, que ___-___?
Michael, que ___-___?

2b Que font-ils? C'est comment? (1–5)

A *C'est fatigant.*

B *C'est génial.*

C *C'est ennuyeux.*

D *C'est super!*

E *C'est marrant.*

ne … rien	*nothing*
Je ne fais rien	*I don't do anything*

2c Écris un résumé.

Exemple: *Aurélie fait de la … C'est …*

3 Lis et écoute. Réponds aux questions.

Pendant les grandes vacances j'ai fait un stage de sport. Je suis allé à un centre aéré au bord d'un grand lac. Le premier jour, le matin, nous avons fait une heure d'entraînement et une heure de jogging. L'après-midi nous avons joué au tennis, au football, au volley ou au basket. J'ai fait du basket. Après le sport nous avons eu deux heures de libre pour nous baigner dans le lac, faire du kayak ou faire de la planche. J'ai fait du kayak. Le soir nous avons mangé dehors et chanté autour du feu. C'était super.

Patrice

J'ai fait un stage de musique à Caen, en Normandie. Le matin nous avons fait de l'entraînement et l'après-midi nous avons fait du sport. Nous avons fait des balades à vélo ou nous avons nagé dans la piscine. Le soir nous avons joué en groupe et nous avons donné un concert pour nos parents. C'était vraiment génial. Je me suis fait beaucoup de nouveaux amis.

Isabelle

Patrice et Isabelle:

1 Où est-il/elle allé(e)?
2 Qu'est-ce qu'il/elle a fait le matin?
3 Qu'est-ce qu'il/elle a fait l'après-midi?
4 Qu'est-ce qu'il/elle a fait le soir?
5 C'était comment?

Mini-test **I can …**

- say what I do in the morning before going to school
- say at what time I get up and go to bed
- say what clubs I go to …
- … and say whether I like them or not

4 *Qu'est-ce qu'on pourrait faire ce soir?*

Arranging to go out

On pourrait aller ...

- chez mon copain/ma copine
- au terrain de sport
- au concert de musique africaine
- au théâtre
- au cinéma
- à la piscine
- au Quick

PARLER **1a** **Brainstorming: Qu'est-ce qu'on pourrait faire ce soir? Trouvez d'autres solutions.**

On pourrait ...

faire **jouer** **écouter** **regarder** **lire**

ÉCOUTER **1b** **Qu'est-ce qu'ils vous proposent? (1–8)**

PARLER **1c** **À deux. Choisissez ensemble les cinq possibilités que vous préférez et rangez-les de 1 à 5 par votre ordre de préférence.**

ÉCRIRE **1d** **Faites la liste de vos propositions.**

Exemple: *On pourrait ...*

ÉCOUTER **2a** **Qu'est-ce que Julien en pense?**

1

2

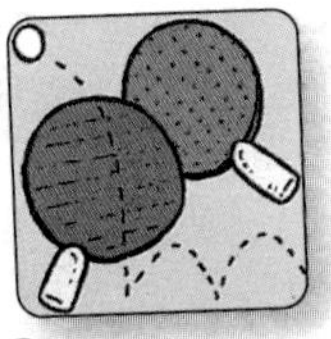
3

4

5

6

7

maillot de bain *swimming costume/trunks*

Je peux ✓

Je ne peux pas ✗ parce que ...

- **A** Je suis trop fatigué.
- **B** Je n'ai pas le temps.
- **C** Je n'ai pas d'argent.
- **D** Je n'ai pas mon maillot de bain.
- **E** J'ai trop de devoirs.

LIRE **2b** **Trouve le dessin qui correspond!**

1 Je n'ai pas fait mes devoirs parce que mon chien a mangé mon cahier.
2 Je n'ai pas joué au tennis parce que je n'ai pas de baskets.
3 Je n'ai pas vu Sky Wars parce que je n'aime pas les films de science-fiction.
4 Je n'ai pas acheté le CD, parce que je n'aime pas la musique 'house'.
5 Je n'ai pas téléphoné hier parce que le téléphone ne marche pas.
6 Je ne suis pas allé à la piscine parce que je déteste l'eau froide.

A **B** **C** **D** **E** **F**

ÉCRIRE **2c** **Écris un dialogue.**

On pourrait (aller au cinéma) …
Je (ne peux pas. J'ai trop de devoirs).
On pourrait (faire une balade en vélo).
Je (ne peux pas. Je suis trop fatigué(e)).

Le détective

Pouvoir ***to be able to***

pouvoir *is an irregular verb:*

je peux	nous pouvons
tu peux	vous pouvez
il/elle peut	ils/elles peuvent

Pour en savoir plus ➡ page 131, pt 5.1

PARLER **2d** **À deux. Présentez vos dialogues.**

ÉCRIRE **2e** **Fais un résumé.**

Exemple: *Julien ne peut pas aller au cinéma parce qu'il a trop de devoirs.*

Julien  parce qu'il 

 parce qu'il 

 parce qu'il 

5 *Ce soir ...*

Talking about going to the cinema

- Salut! Ce soir on va au cinéma. Veux-tu venir avec nous?
- Oui, je veux bien. Qu'est-ce que vous allez voir?
- Nous allons voir ...

La Guerre des Étoiles *Titanic* *Le Roi Lion* *Jurassic Park* *Obélix* *Die Hard*

- On se retrouve où?
- On va se retrouver ...

chez moi *devant le cinéma* *à l'arrêt de bus*

- À quelle heure?
- ...

18h15 *18h30* *18h45* *19h15*

- Bon, à tout à l'heure. Au revoir.
- Au revoir.

ÉCOUTER **1a** **Écoute et note. (1–4)**

Qu'est-ce qu'ils vont voir?
Où vont-ils se retrouver?
À quelle heure vont-ils se retrouver?

Rappel

***Le futur proche* – the near future**

Just as in English you use the verb 'to go' and the infinitive, so in French you say:

Je vais voir ... I am going to see ...

ÉCRIRE **1b** **Qu'est-ce qu'ils ont décidé?**

Ils vont voir ... Ils vont se retrouver ... à ... h.

PARLER **1c** **Jeu de rôle. Jouez le dialogue. Apprends le dialogue par cœur.**

2a ÉCOUTER **Écoute et note. (1–6)**

a C'est quel genre de film?
b C'est comment?

Jurassic Park Le Roi Lion Die Hard Obélix La Guerre des Étoiles Titanic

de science-fiction un dessin animé d'action à suspense d'amour historique

amusant triste effrayant formidable enfantin

2b PARLER **Interviewe ton/ta partenaire. Quel genre de film aime-t-il/elle?**

- Aimes-tu les films (d'action/de science-fiction/d'amour, etc.)?
- Oui, j'aime les films …/Non, je n'aime pas les films …
- Pourquoi?
- Ils sont (amusants)/Ils ne sont pas (intéressants).

Et note ses réponses.

Il/Elle aime …	**les films …**	parce qu'ils sont …
Il/Elle n'aime pas …		parce qu'ils ne sont pas …

2c LIRE **C'est quel film?**

Ce n'est pas le genre de film que je vais voir normalement, je préfère la science-fiction, mais il est très bien. L'histoire raconte le voyage d'un grand bateau qui part de New York pour traverser l'Atlantique. Le bateau heurte un iceberg et sombre dans la mer glaciale. La plupart des passagers meurent de froid. C'est un film d'amour, à la fois romantique, historique et triste. La fin du film est très émouvante, il faut prévoir un paquet de mouchoirs!

Le détective

How to say 'you' in French
You use the **tu** *form when speaking to one person.*
You use the **vous** *form when speaking to more than one person (or to someone older than you).*
The **tu** *form always ends in –s:* **tu aimes**
The **vous** *form usually ends in –ez:* **vous aimez**
Exceptions: **vous dites; vous faites; vous êtes**

Pour en savoir plus ➡ page 141, pt 25

3a ÉCRIRE **Prépare les questions.**

1 ton copain/ta copine: *Aimes-tu …*
2 tes copains: *Aimez-vous …*

… les films d'action? (aimer)
… les films de science-fiction? (préférer)
… aller au cinéma ce soir? (pouvoir)
… vu le film Jurassic Park? *(avoir)*

3b PARLER **Interviewe et note les réponses.**

1 ton copain/ta copine: *Il/elle aime …, etc.*
2 tes copains: *Ils/elles aiment …, etc.*

4 ÉCRIRE **Écris des phrases sur trois films que tu as vus.**

Exemple: *J'ai vu (Jurassic Park).*
C'est un film (à suspense).
C'est (formidable et amusant).

Bilan et Contrôle révision

I can …	
● *say what I do in the morning before going to school*	Je me réveille, Je me lève, Je me lave, Je me douche, Je m'habille, Je prends mon petit déjeuner, Je bois du chocolat chaud, Je mets mon manteau, Je sors
● *say when I get up and go to bed …*	Je me lève à … Je me couche à …
● *… and ask someone else …*	À quelle heure tu te lèves/tu te couches?
● *… and report back*	Il/Elle se lève/se couche à …
I can …	
● *use the 24 hour clock.*	18h00 dix-huit heures 19h00 dix-neuf heures 20h30 vingt heures trente 21h45 vingt et une heures quarante-cinq 22h00 vingt-deux heures
I can …	
● *say what clubs I go to …*	Je vais au centre de loisirs/club des jeunes à la salle de gym/piscine
● *… and what I do*	Je fais du judo/basket/badminton/de la gymnastique rythmique et sportive/de la danse/de l'art dramatique, etc.
● *ask someone where they go and what they do …*	Où vas-tu? Que fais-tu?
● *… and report back*	Il/Elle va … Il/Elle fait …
● *say when it is …*	le mercredi 14h00–16h00, le samedi 14h00–16h00
● *… and whether I like it or not*	C'est super, C'est marrant, C'est génial, C'est ennuyeux, C'est fatigant
I can …	
● *discuss what one could do*	On pourrait … aller au cinéma, au concert de musique africaine, chez mon copain/ma copine, à la piscine, au Quick, au théâtre, au terrain de sport
● *say why I cannot do this*	Je ne peux pas. J'ai trop de devoirs.
● *discuss going to the cinema and make arrangements*	Ce soir on va au cinéma. Qu'est-ce que vous allez voir? Nous allons voir …Veux-tu venir avec nous? On se retrouve où? Ou va se retrouver à … À quelle heure?
● *talk about films …*	C'est un dessin animé, un film de science-fiction, d'action, à suspense, d'amour, historique
● *… and say what they are like*	C'est amusant/triste/effrayant/formidable/enfantin

ÉCOUTER 1 À quelle heure se lèvent-ils et à quelle heure se couchent-ils, le dimanche? Copie et remplis la grille. (1–5)

	se lève	se couche
1		
2		

PARLER 2 Qu'est-ce qu'on pourrait faire ce soir? Prépare ce que tu vas dire.

- On pourrait aller (au cinéma)

- On pourrait (voir un film)

- On se retrouve …
  chez moi   devant le cinéma   à l'arrêt de bus
- à … 18h45   18h30   18h45   19h00   19h30

LIRE 3 Lis et réponds aux questions.

J'ai fait du sport ce week-end. Je suis allé à un centre aéré dans les Alpes. Samedi matin nous avons fait une heure de jogging. Puis nous avons fait du sport. J'ai joué au volley-ball et j'ai fait de la planche à voile, mais je n'ai pas fait de kayak. L'après-midi nous avons fait une balade en vélo et nous avons nagé dans la piscine. Le soir nous sommes allés en ville et nous avons mangé au Quick. Le dimanche matin nous avons joué au tennis et au basket et l'après-midi nous sommes allés au cinéma. Nous avons vu un film de science-fiction. C'était formidable!! **Dominic**

Où est allé Dominic?
Qu'est-ce qu'il a fait …
  samedi matin?
  samedi après-midi?
  samedi soir?
  dimanche matin?
  dimanche après-midi?

ÉCRIRE 4 Où es-tu allé(e)? Qu'est-ce que tu as fait?

LA MOMIE

SHAKESPEARE IN LOVE

COUP DE FOUDRE À NOTTING HILL

JEANNE D'ARC

LA GUERRE DES ÉTOILES LA MENACE FANTÔME

ÉCOUTER **1a** C'est quel genre de film? Ils marquent combien de points?

La République est sous le contrôle de la Fédération du Commerce qui utilise la force et l'intimidation pour se faire obéir. La Reine Amidala, interprétée par Natalie Portman, refuse de se soumettre aux demandes de la Fédération. Ce n'est pas un film rigolo et il y a des moments très effrayants. C'est un film de science-fiction.
8 points

Jeanne d'Arc est une jeune fille française née en 1412. Pendant la guerre de cent ans entre la France et l'Angleterre, à l'âge de 16 ans, elle mène l'armée française contre les Anglais. Capturée en 1430, à l'âge de dix-huit ans, on la brûle vive comme hérétique. C'est un film historique de Luc Besson. Les effets sont bien mais je préfère les films de science-fiction.
7 points

C'est l'histoire de la vie de Shakespeare. Il y a du romantisme, des scènes violentes et des passages marrants. La fin du film est très émouvante. Shakespeare est interpreté par Joseph Fiennes et Lady Viola par Gwyneth Paltrow. C'est un film très réussi. Il faut prévoir un paquet de mouchoirs!
9 points

William Thacker (Hugh Grant) travaille dans une librairie à Notting Hill, à Londres. Un jour une femme (interprétée par Julia Roberts) entre dans sa boutique. Notting Hill raconte l'histoire d'amour entre une femme qui est star de cinéma et un homme qui vend des livres. C'est un conte de fées. C'est pas trop mon style mais c'est bien réussi.
7 points

Le grand prêtre Imhotep a tué le Pharaon. Les servants du Pharaon momifient Imhotep vivant. La légende dit qu'il ne faut pas réveiller la momie. Mais trois mille ans plus tard un aventurier américain découvre la momie et la réveille … Tu vas être scotché sur ton siège de cinéma! C'est un film à suspense.
9 points

LIRE **1b** **C'est quel film?**

- Le film a lieu dans l'espace
- Le film a lieu en Egypte
- Le film a lieu en France
- Le film a lieu à Londres (2)

LIRE **1c** **Lis et comprends.**

1 Trouve la publicité qui correspond.

2 For each film find:

- three words which you know.
- four words which are like English words: e.g. menace, intimidation.
- three words which you can guess: e.g. contrôle, interprété.
- two words which you need to find out by asking someone or looking them up.

PARLER **1d** **À deux, discutez et décidez ensemble: Quel genre de film préférez-vous? Quel est ton film préféré?**

Trouvez ensemble le nom d'un film à suspense; un film d'aventure; un film de science-fiction; un film d'amour; un film d'action; un dessin animé.

2a Lis et écoute. Copie et remplis la grille. Qu'est-ce qu'ils ont fait? Qui est sorti avec qui?

Après le déjeuner je suis allé au terrain de sports et j'ai joué au foot avec mes copains. Le soir je suis allé au cinéma avec une copine. Nous avons vu le film **X-files, Combattre le futur,** c'est un film de science-fiction avec David Duchovny. C'était super.

Olivier

Je suis allée acheter des tennis avec ma copine et puis nous avons mangé au Quick. Le soir je suis allée au cinéma avec mon petit copain. Nous avons vu le film **Godzilla** avec Jean Reno. C'était formidable.

Elvire

Après le collège j'ai joué au foot avec mes copains et le soir je suis allé au cinéma, avec ma petite copine, mais je n'ai pas aimé le film. Les films historiques, ce n'est pas mon style.

Marc

L'après-midi j'ai joué au tennis avec mon copain et le soir je suis allée au cinéma avec mon petit copain. Il adore les films de science-fiction. C'était à suspense!! Moi, je préfère les films d'amour.

Marjolaine

Après le collège j'ai joué au tennis avec ma petite copine. Le soir je suis allé au cinéma avec ma petite copine. Elle a choisi le film parce qu'elle aime les films de Jean Reno. Les effets spéciaux sont très réussis mais je n'aime pas les films avec des monstres.

Nicolas

L'après-midi j'ai fait du shopping et le soir je suis allée au cinéma avec mon copain. Nous avons vu *Le masque de Zorro* avec Anthony Hopkins et Catherine Zeta Jones.

Sophie

	Après-midi	*Soir*
Olivier	football avec Marc	Combattre le futur avec Marjolaine
Elvire		
Marc		
Marjolaine		
Nicolas		
Sophie		

2b Qui parle? (1–6)

2c Interviewe ton/ta partenaire.

- Qu'est-ce que tu as fait samedi dernier?
-    
- Avec qui?
- …
- C'était comment?
- 

2d Fais un résumé.

L'après-midi je suis allé(e) / j'ai … avec …
Nous sommes allé(e)s …
Nous avons vu …
C'était …

2e Ton prof le corrige. Puis recopie sans erreurs.

Chanson

Veux-tu sortir ce soir
Avec Abélard,
Amina et Aïcha?
On pourrait aller au cinéma.
Voir un film d'action.
Ou de science-fiction.

Je n'ai pas d'argent
Et je n'ai pas le temps.
J'ai trop de devoirs.
Je ne peux pas sortir ce soir.

Veux-tu sortir samedi
Avec Dimitri,
Amandine et Justine?
On pourrait aller à la piscine.
Ou faire du vélo
Au parc du château.

Je déteste l'eau.
Je n'ai pas de vélo.
Alors, non merci.
Je ne veux pas sortir samedi.

Veux-tu sortir demain
avec Benjamin,
Anne, Myriam et Mégane?
On pourrait aller à la
campagne
Ou à la montagne,
Et faire une balade.

Ah, quelle bonne idée!
J'aime les randonnées.
Alors, je veux bien.
Oui, je peux sortir demain.
(À demain!)

LIRE **1** **Trouve dans la chanson:**

1 trois invitations
2 trois suggestions
3 trois excuses
4 une acceptation.

ÉCRIRE **2** **Recopie les phrases dans le bon ordre pour faire un nouveau couplet.**

a On pourrait aller à un concert
b Je veux rester à la maison.
c Veux-tu sortir dimanche
d Claire, Pierre et Kader?
e Avec Anne et Blanche,
f Je n'aime pas la techno
g Alors, non, non, non
h Au parc du château.
i De musique techno
j Je préfère le piano.

Mots

Que fais-tu le matin?	***What do you do in the morning?***
je me réveille	*I wake up*
je me lève	*I get up*
je me lave	*I get washed*
je me douche	*I have a shower*
je m'habille	*I get dressed*
je bois …	*I drink …*
du chocolat chaud	*hot chocolate*
je mange …	*I eat …*
des céréales	*cereals*
je mets …	*I put on …*
un sweat	*a sweatshirt*
un jean	*jeans*
un anorak	*an anorak*
un manteau	*a coat*
je prends …	*I take …*
le car de ramassage	*the school bus*
je sors	*I go out*

L'heure	**The time**
C'est à quelle heure?	*When is it?*
À quelle heure?	*At what time?*
je me couche	*I go to bed*
à sept heures	*at seven o'clock*
à sept heures …	*at … past seven*
… cinq	*7.05*
… dix	*7.10*
… quinze	*7.15*
… vingt	*7.20*
… trente	*7.30*
à six heures quarante	*6.40*
à six heures quarante-cinq	*6.45*
à six heures cinquante-cinq	*6.55*
12h00/midi	*12 o'clock*
13h00/treize heures	*1 p.m.*
15h00/quinze heures	*3 p.m.*
18h00/dix-huit heures	*6 p.m.*
19h00/dix-neuf heures	*7 p.m.*
20h30/vingt heures trente	*8.30 p.m.*
21h45 vingt et une heures quarante-cinq	*9.45 p.m.*
22h00 vingt-deux heures	*10 p.m.*
plus tôt	*earlier*
plus tard	*later*

Mes passe-temps préférés	***My favourite hobbies***
Que fais-tu?	*What do you do?*
Je ne fais rien.	*I don't do anything.*
Je fais …	*I do …*
de l'art dramatique	*theatre*
partie d'un orchestre	*orchestra*
de la danse	*dance*
de la guitare classique ou électrique	*classic/electric guitar*
de la gymnastique rythmique et sportive	*gymnastics*
de la musique rock	*rock music*
de la plongée	*diving*
du basket/du badminton	*basket ball/ badminton*
du judo	*judo*
du rap	*rap music*

C'est comment?	***What's it like?***
C'est ennuyeux.	*It's boring.*
C'est fatigant.	*It's tiring.*
C'est génial.	*It's great.*
C'est marrant.	*It's fun.*
C'est super!	*it's great!*

Ce soir	***This evening***
Qu'est-ce que tu proposes?	*What do you suggest?*
On pourrait …	*We could …*
aller à la piscine/au théâtre	*go to the swimming pool/theatre*
jouer au tennis/aux cartes	*play tennis/cards*
Je peux.	*I can.*
Je ne peux pas.	*I can't.*
Pourquoi?	*Why?*
Je suis trop fatigué(e).	*I'm too tired.*
Je n'ai pas le temps.	*I haven't got time.*
Je n'ai pas d'argent.	*I haven't any money.*
Je n'ai pas mon maillot de bain.	*I haven't got my swimming costume/trunks.*
J'ai trop de devoirs.	*I have too much homework.*
Qu'est-ce que tu vas faire ce soir?	*What are you doing tonight?*
Je vais aller au cinéma.	*I am going to go to the cinema.*
Qu'est-ce que tu vas voir?	*What are you going to see?*
Je vais voir …	*I'm going to see …*
C'est quel genre de film?	*What sort of film is it?*
C'est un film …	*It's a/an … film.*
d'action	*action*
d'amour	*romantic*
historique	*historical*
de science-fiction	*science-fiction*
à suspense	*suspense/thriller*
C'est un dessin animé.	*It's a cartoon.*
C'est comment?	*What's it like?*
amusant	*funny*
effrayant	*frightening*
enfantin	*childish*
formidable	*great*
triste	*sad*
On se retrouve où?	*Where shall we meet?*
chez moi	*at my house*
devant le cinéma	*in front of the cinema*
à l'arrêt de bus	*at the bus stop*

MODULE 3 FAMILLE ET COPAINS

1 *Ma famille*

Talking about your family

family mon/ma/mes
mes copains plus ... que
moins ... que
les choses que j'aime
le corps
J'ai mal

L'arbre généalogique

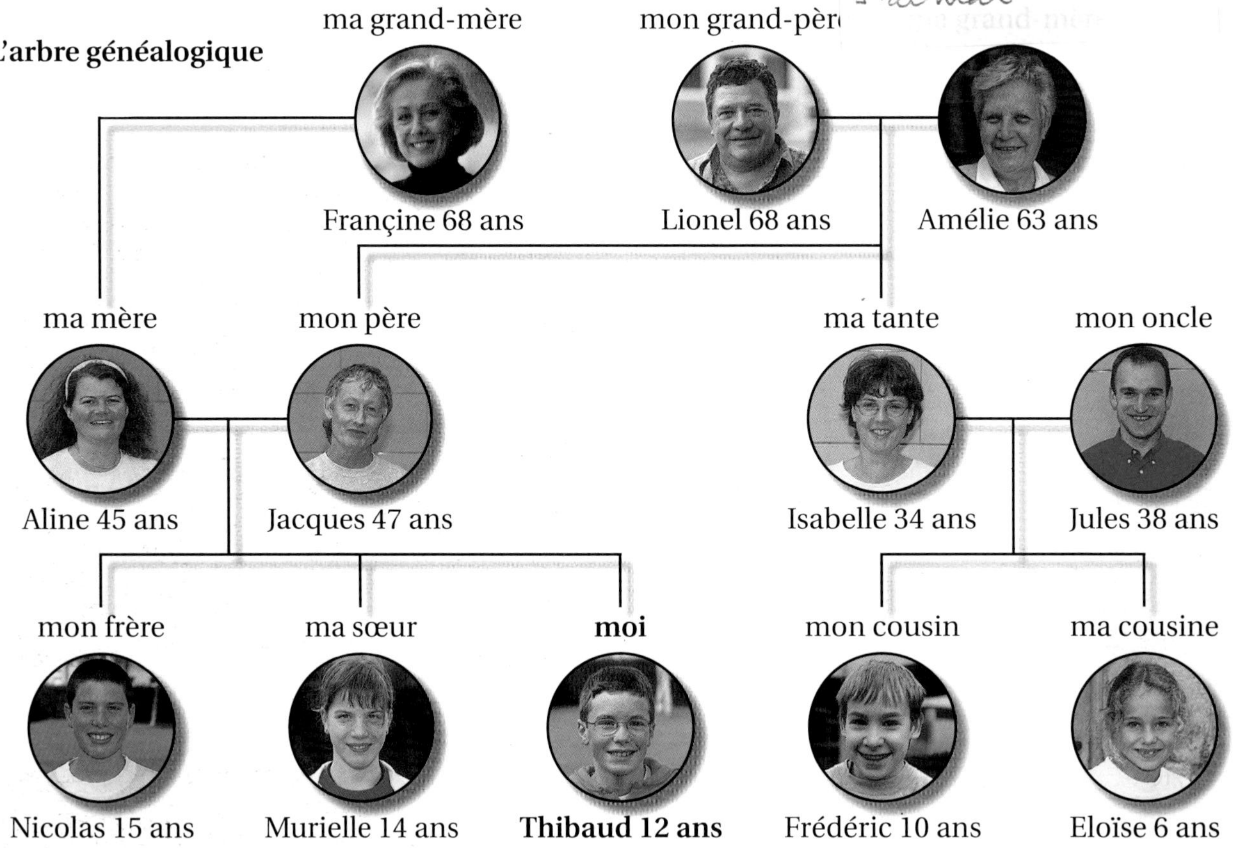

LIRE **1a** **Vrai ou faux?**

1 Thibaud a deux frères.
2 Son père s'appelle Jacques.
3 Sa mère s'appelle Isabelle.
4 Jules, c'est son grand-père.
5 Ses grands-mères s'appellent Amélie et Françine.
6 Il n'a pas de sœur.
7 Eloïse, c'est sa tante.
8 Son cousin s'appelle Murielle.

ÉCRIRE **1b** **Corrige les phrases qui sont fausses!**

ÉCOUTER **1c** **Qui parle? Écoute et note.** (1–8)

Rappel

30	trente
40	quarante
50	cinquante
60	soixante

Le détective

Possessive adjectives

	Masc.	***Fem.***	***Plural***
my	mon	ma	mes
your	ton	ta	tes
his/her	son	sa	ses
our	notre	notre	nos
your	votre	votre	vos
their	leur	leur	leurs

Pour en savoir plus ➡ page 132, pt 7

PARLER **2** **À deux. Comment s'appellent-ils? Choisis une famille pour toi, A ou B.**

- Comment s'appelle ton père? Mon père s'appelle …
- Comment s'appelle ta mère? Elle s'appelle …
- As-tu un frère?

A

B

LIRE **3a** **Lis et réponds. Comment s'appellent-ils?**

Exemple: *Sa mère s'appelle …*

Nous habitons avec notre mère et notre beau-père. Notre mère s'appelle Evelyne et notre beau-père s'appelle Carlo. Notre père est mort il y a cinq ans. Nos grands-parents du côté de notre mère s'appellent Jean-Luc et Véréna, comme moi. Ils habitent à Genève, en Suisse. Nos grands-parents du côté de notre beau-père s'appellent Massimo et Gina. Ils sont d'origine italienne, mais ils habitent en Suisse, près de chez nous. Nous avons aussi un grand demi-frère qui s'appelle Mario et une grande demie-sœur qui s'appelle Olivia. Ils habitent chez leur mère en Italie.

Véréna

ÉCOUTER **3b** **Quel âge ont-ils? Écoute et note. (1–9)**

ÉCRIRE **3c** **Fais ton arbre généalogique (ou invente un arbre généalogique) et écris une explication pour Véréna.**

mon/notre	**père/frère s'appelle …**
ma/notre	**mère/sœur s'appelle …**
mes/nos	**parents/grands-parents s'appellent …**

2 Mes copains

Talking about your friends

Virginie est plus petite que Chloë.

Jérôme est moins grand que Christophe.

Ludo est plus grand que Guillaume.

Simone est moins grande que Charlotte

LIRE **1a** **Qui est-ce?** *Exemple: 1a, c'est … 1b, c'est …*

PARLER **1b** **À tour de rôle. Pose des questions à ton/ta partenaire.**

- Qui est plus grand(e)/petit(e), (Virginie ou Chloë)?
- … est plus grand(e)/petit(e). Qui est plus …?

ÉCOUTER **1c** **Ils mesurent combien? (1–4) Répète les réponses.**

ÉCRIRE **1d** **Écris les réponses.**

1 Qui est le plus grand?
2 Qui est la plus grande?
3 Qui est le plus petit?
4 Qui est la plus petite?

PARLER **1e** **Décidez ensemble qui est le/la plus …**

sportif(ive), timide, courageux(euse), bavard(e), marrant(e), paresseux(euse), beau(belle)? Qui est le meilleur chanteur/ la meilleure chanteuse?

Exemple:
- Michael Jordan est le plus sportif.
- Oui, d'accord./Non (…) est le plus sportif.

Le détective

Comparing two people (or things)
How to say someone is more or less (tall/sporty, etc.) than someone else

plus	*more*	plus grand(e)	*bigger*
moins	*less*	plus petit(e)	*smaller*

Pour en savoir plus ➡ page 134, pt 9

70 soixante-dix	**80 quatre-vingts**
75 soixante-quinze	**85 quatre-vingt-cinq**

Le détective

How to say who is tallest or shortest
Il est le plus grand
Elle est la plus grande

Pour en savoir plus ➡ page 134, pt 10

Rappel

Remember most adjectives add an **–e** in the feminine unless they already end in **–e** (e.g. timide)
Adjectives which end in **–f** change to **–ve** and those which end in **–x** change to **–se**

le meilleur	the best (masc.)
la meilleure	the best (fem.)

CÉLINE DINELLI – championne de VTT

Je m'appelle Céline. Je suis née à Cannes et j'ai dix-neuf ans. Je m'entraîne tous les jours. Le matin je fais trois heures de VTT et un peu de technique et musculation. Le VTT est un sport assez dur, mais on est en contact avec la nature. C'est un sport individuel, mais que l'on peut pratiquer aussi en groupe.

J'ai un frère de 16 ans qui ne fait pas de sport. Il passe la journée devant son ordinateur et surfe sur l'internet. Nous habitons toujours chez nos parents près de Cannes. J'adore aller au cinéma. Je vais surtout voir des films d'aventure. La musique, ce n'est pas mon truc, j'écoute un peu de tout, mais je n'ai pas de groupe préféré. Je fais du footing, de la natation et du ski. Le soir je lis et je révise mes cours. Je prépare un diplôme de professeur d'éducation physique. Mon principal objectif est les prochains jeux Olympiques.

LIRE

2a Lis et réponds aux questions.

1 Quel âge a Céline?
2 Où habite-t-elle?
3 Quel genre de personne est-elle?
4 Quel sport fait-elle?
5 Combien d'heures d'entraînement fait-elle?
6 Quel âge a son frère?
7 Qui est le plus sportif, Céline ou son frère?
8 Quelle sorte de films préfère Céline?
9 Quels autres sports fait-elle?
10 Qu'est-ce qu'elle veut faire dans la vie?
11 Quel est son objectif?

ÉCOUTER

2b Serge. Copie et complète le texte.

Mon nom c'est Serge. Je mesure (1) … et j'ai les cheveux (2) … et les yeux (3) … . Je suis (4) … et assez (5) … . J'ai (6) … ans et j'habite chez (7) … à (8) … . J'ai (9) … mais je n'ai pas de (10) … . Je fais (11) …, (12) … et (13) … mais je ne fais pas de (14) … . Et toi? Parle-moi un peu de toi!

ÉCRIRE

2c Écris une réponse. Quelle sorte de personne es-tu?

3 *Les choses que j'aime*

Talking about your favourite things

J'ai une chaîne stéréo et une collection de compacts. Je les collectionne depuis longtemps. Mon CD préféré c'est Compile Hostile, je l'écoute tout le temps. Mon frère est allé à un concert et a acheté le CD. J'adore le rap français.

Nicolas

Je collectionne des anciens nounours. Le plus vieux s'appelle Marcel. Je le garde sur la table dans ma chambre. J'achète beaucoup de nounours. Je les trouve chez les antiquaires.

Delphine

Je collectionne de vieilles bouteilles. Ma bouteille préférée est petite et bleue. Je la garde sur l'étagère dans ma chambre.

Arnaud

Je collectionne des canards. Je les aime parce qu'ils me font penser aux vacances. Je les achète partout. Mon canard préféré est en peluche rose et s'appelle Brigitte. Je l'emporte toujours avec moi, même au collège.

Chloë

Je collectionne des anciennes BD. Mon père m'a donné sa collection et je les lis le soir quand j'ai fini mes devoirs. Les dessins sont en noir et blanc.

Loïc

Je collectionne des posters de footballeurs. Mon poster préféré c'est celui de Zidane. Je le regarde tous les jours avant de dormir. Il est mon héros! Je veux être footballeur.

Patrice

Je collectionne les cartes postales. Mon père voyage beaucoup et il me les envoie de partout dans le monde. J'ai plusieurs cartes de pays d'Afrique. Je les colle dans un album. Ma carte préférée c'est une photo des pyramides avec mon père sur un chameau. Je la garde sur le mur dans ma chambre.

Aurélie

LIRE **1a** **Lis et comprends. C'est à qui?**

A B C D E F G

LIRE **1b** **Réponds aux questions.**

a Qui collectionne des cartes postales?
b Qui aime le football?
c Qui a donné sa collection de BD à son fils?
d Qui voyage beaucoup?
e Qui est Brigitte?
f Qui est allé(e) à un concert à Paris?
g Qui est Marcel?

You don't need to understand every word! Which are the key words you need to know? Which words are like English words?

Le détective

1c Qui parle? (1–7)

Direct object pronouns: how to say 'it' or 'them'

Masc.	***Fem.***	***Plural***
le/l'	la/l'	les

Notice that in French these come in front of the verb:

Je l'aime *I like it* Je ne l'aime pas *I don't like it*

Je le/la garde dans ma chambre

Pour en savoir plus ➡ page 135, pt 12

2a **Qu'est-ce qu'ils préfèrent? Pourquoi? Écoute et note.**

1a

1b

2a

2b

3a

3b

4a

4b

5a

5b

2b **Qu'est-ce que tu préfères? Prépare un dialogue.**

coloré moderne intéressant élégant à la mode cool grand

Je préfère (la montre noire).
Pourquoi?
Je (le/la/les) préfère parce qu'(il/elle/ils/elles) est/sont plus …

2c **Interviewe ton/ta partenaire.**

- Qu'est-ce que tu préfères?
- Pourquoi?

Mini-test **I can …**

- talk about my family
- describe my friends
- talk about things I like …
- … and say what I prefer

4 *Le corps*

Talking about parts of the body

La tête

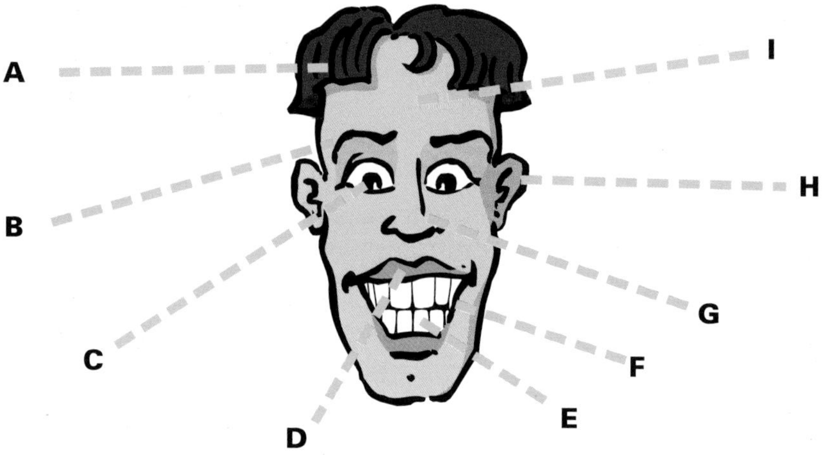

la bouche
les cheveux
les dents
les lèvres
le nez
les oreilles
la peau
les sourcils
les yeux

PARLER **1a** **À deux. Qu'est-ce que c'est?**

- 'A', ce sont les cheveux. 'B'?
- 'B', ce sont …

ÉCOUTER **1b** **Écoute et répète. Vérifie tes réponses.**

PARLER **1c** **À deux. C'est un produit pour …**

Exemple: A *Le dentifrice, c'est pour …*

A

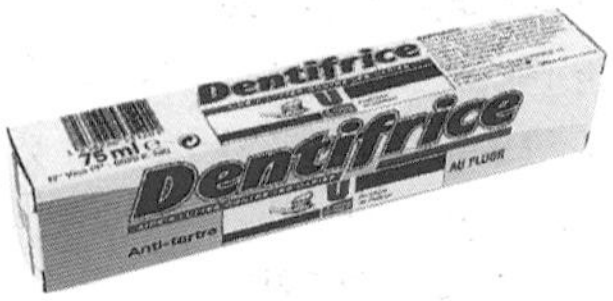

le dentifrice

B

le shampooing

C

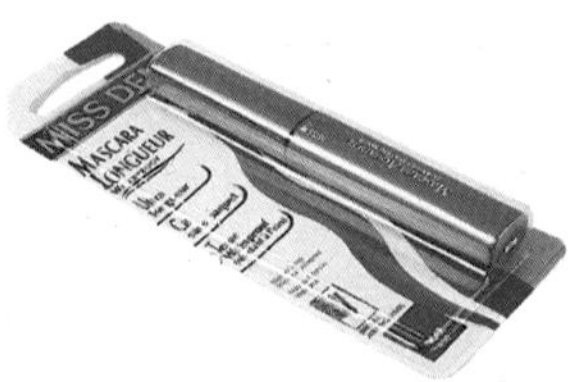

le mascara

D

la crème anti-solaire

E

les cotons-tiges

ÉCOUTER **1d** **Écoute la pub. C'est pour quel produit? (1–5)**

ÉCRIRE **1e** **Réalise des pubs.**

Pour avoir …	Pour protéger …	Utilisez notre produit …
les cheveux plus lisses	la peau	
les dents plus blanches	les yeux	
la peau moins grasse	les lèvres	
les yeux moins fatigués		
les lèvres moins sèches		

PARLER 2a À deux. Qu'est-ce que c'est?

- 'A'?
- C'est la tête. 'B'?
- Je ne sais pas. Qu'est-ce que c'est 'B'?
- Il faut le chercher dans le vocabulaire.

le bras	**le cou**	**le doigt**
le dos	**l'épaule**	**le genou**
la jambe	**la langue**	**la main**
la patte	**le pied**	**le poil**
la queue	**la tête**	

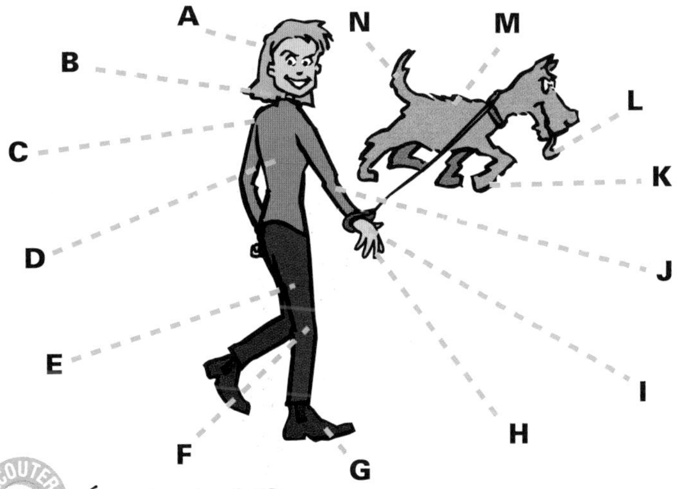

ÉCOUTER 2b Écoute et vérifie.

LIRE 2c Lis et écoute. Qui est-ce?

Les nouveaux personnages du Jeu Xplode.

Le détective

Singular and plural

Most nouns make their plural in the same way as in English, by adding –s:

une main   deux mains

unless they already end in –s:

un bras   deux bras

Nouns which end in –**ou**, –**eu** *or* –**eau** *make the plural by adding* –**x**:

un genou   deux genoux

un cheveu   les cheveux

and some just like to be different!

un œil   les yeux

Pour en savoir plus ➡ page 136, pt 13

1 Il est très féroce. Il attaque ses adversaires à deux mains. Il a trois doigts en forme de griffes électroniques sur chaque main. Il a deux pattes énormes, qui lui permettent de marcher sur les murs et au plafond.

2 Elle a une taille très fine, des jambes robustes. Elle n'est pas très jolie, mais elle est très aventureuse et elle court et saute très bien.

3 Il a de grands yeux rouges pour voir dans la nuit. Il a les bras courts et deux mains énormes en forme de pinces de crabe. Ses jambes sont très fortes et ses pattes sont grandes, et il a une queue pour garder son équilibre, comme un kangourou.

Xoman

Flora Kruft

Machoman

ÉCRIRE 2d Invente un nouveau personnage pour le jeu.

5 *J'ai mal*

Saying what is wrong with you and what you need

LIRE **1a** **Relie les dessins avec les bulles.**

A

B

C

D

E

F

G

H

I

1 *J'ai mal aux dents.*

2 *J'ai mal aux oreilles.*

3 *J'ai mal à la tête.*

4 *J'ai mal aux pieds.*

5 *J'ai mal au ventre.*

6 *J'ai mal à la gorge.*

7 *J'ai de la fièvre.*

8 *J'ai froid.*

9 *Je tousse.*

ÉCOUTER **1b** **Qu'est-ce qu'ils ont? (1–8)**

> ***How did you work out the answers to 1b? What clues did you use?***

PARLER **1c** **À deux.**

- 'A', qu'est-ce qu'il a?
- Il a mal aux oreilles. 'B'?

LIRE **2a** **Trouve le bon conseil. Il y a plusieurs solutions!**

A *J'ai mal aux dents.*

B *J'ai mal à la tête.*

C *Je tousse tout le temps.*

D *J'ai mal au ventre.*

E *J'ai froid.*

F *J'ai de la fièvre et mal à la gorge.*

G *J'ai mal à la jambe.*

1 Prenez de l'aspirine.
2 Prenez du sirop.
3 Sucez des pastilles pour la gorge.
4 Restez au lit.
5 Mettez un pull.
6 Allez chez le dentiste.
7 Restez au chaud.
8 Allez à la pharmacie.

2b PARLER **À deux. Discutez vos réponses!**

- 'A', j'ai mal aux dents.
- Prenez de l'aspirine.
- Oui, d'accord.
- Et sucez des pastilles.
- Ah non, pas ça.
- OK, allez chez le dentiste.
- Oui, c'est ça.

Le détective

When you are talking to someone you don't know or to a group of people and you want to tell them what to do you use the 'imperative'. This is the **vous** *form without the* **vous:**

allez *go* mettez *put*

Pour en savoir plus ➡ page 136, pt 14

2c ÉCOUTER **À la pharmacie. Qu'est-ce qu'ils ont? Qu'est-ce qu'on leur conseille? (1–5)**

2d PARLER **Jeu de rôle à la pharmacie.**

- Bonjour monsieur/madame.
- Bonjour monsieur/mademoiselle. Vous désirez?
- J'ai .../Je voudrais quelque chose pour ...

- Voici ... des comprimés/de l'aspirine/du sirop/des mouchoirs en papier.
- Merci monsieur/madame.

2e ÉCRIRE **Copie et complète la lettre.**

Fichier Edition Affichage Insertion Format Outils Message

Répondre Répondre à tous Transférer

Je ne peux pas venir au collège demain parce que je suis malade.

J'ai  et . Je  tout le temps.

J'ai . Je vais .

À plus!

Bilan et Contrôle révision

I can …	
● *talk about my family*	mon/notre père/frère ma/notre mère/sœur mes/nos parents/grands-parents
● *talk about my friends*	mon meilleur ami/ma meilleure amie
● *say how tall I am/someone else is*	Je mesure … Il/Elle mesure …
● *make comparisons …*	Il/Elle est plus grand(e)/plus petit(e) que (moi) plus sportif/ive, plus timide, plus courageux/euse, plus bavard(e), plus marrant(e), plus paresseux/euse, plus beau/belle
● *say who is the tallest …*	Il est le plus grand/Elle est la plus grande
● *… and say who is the best*	le meilleur chanteur/la meilleure chanteuse
I can …	
● *talk about things I like …*	J'aime …
● *… and say I like it …*	Je l'aime
● *… and I don't like it*	Je ne l'aime pas
● *… say what I prefer …*	Je le/la/les préfère
● *… and why*	parce que …
I can …	
● *name five parts of the face…*	les dents, les lèvres, la bouche, le nez, les oreilles, les sourcils, les yeux
● *… and five parts of the body*	le bras, le cou, le doigt, le dos, l'épaule, le genou, la jambe, la main, le pied, la tête
● *say what is wrong with me*	J'ai mal aux oreilles/aux dents/à la tête/au ventre J'ai chaud/froid Je tousse Bonjour monsieur/madame. Vous désirez? J'ai …/Je voudrais quelque chose pour … Voici des comprimés/de l'aspirine/du sirop/des mouchoirs en papier. Merci monsieur/madame.
● *give advice*	Allez, Prenez, Mettez, Restez, Sucez

ÉCOUTER 1 **Qu'est-ce qu'ils ont? Qu'est-ce qu'on leur conseille? Écoute et note. (1–5)**

	Maladie	Conseils
1		

PARLER 2 **Présente 'ta' famille.**

Exemple:
Voici une photo de ma famille. Ça c'est ma mère. Elle s'appelle …

Lucille	Jacques	Saxo	Mathieu	Clémentine
36 ans	38 ans	2 ans	7 ans	16 ans
1m55	1m78	35cm	1m39	1m65

LIRE 3 **Lis et réponds aux questions.**

Je m'appelle Denis et je fais de la planche à voile. J'ai seize ans et j'habite au bord de la mer. Je m'entraîne tous les jours. Le matin je me lève à 6h00 et je fais une heure de natation avant d'aller au collège. Le soir je fais mes devoirs et puis je fais deux heures de planche. Je me couche à 21h00. La planche est un sport assez difficile, mais je l'aime. J'ai gagné mon premier concours à l'âge de douze ans.

1 Quel âge a Denis?
2 Où habite-t-il?
3 Quel sport fait Denis?
4 À quelle heure se lève-t-il le matin?
5 Que fait-il avant d'aller au collège?
6 Que fait-il après le collège?
7 Il se couche à quelle heure?
8 Comment trouve-t-il son sport?
9 Quand a-t-il gagné son premier concours?

ÉCRIRE 4 **Décris le monstre.**

EN PLUS *Frères et sœurs – l'amour et la guerre*

Plutôt la guerre ou l'amour?

On s'aime et on se dispute.

❝ J'adore mon frère et mes deux sœurs, je les aime à la folie. Ils sont sympas et on s'entend à merveille. Mais on se dispute pour n'importe quelle bricole. Je déteste ça, car ma mère se met en colère. ❞ *Jérôme*

❝ J'ai trois frères, je suis la seule fille. On ne se supporte plus, on se bat tout le temps. Même dans le car du collège, ils m'embêtent. Chez moi c'est plus la guerre que l'amour. ❞ *Marjolaine*

❝ J'ai un petit frère. C'est vrai qu'il m'énerve parfois et il veut toujours que je l'aide avec ses devoirs, mais tous les deux on peut faire de belles choses: on joue au foot ensemble et nous sommes en train d'écrire un livre. ❞ *Éric*

❝ Je suis fille unique. Quand je rentre du collège, j'apprécie le calme pour faire mes devoirs, mais parfois je m'ennuie le week-end. ❞ *Camille*

❝ Ma sœur est la plus petite de la famille, donc la préférée. Elle est très gâtée, elle me crie dessus quand je ne fais rien et après, je me fais gronder! C'est embêtant. ❞ *Sophie*

LIRE **1a** **Jeu de logique. Qui parle?**

- **A** *Je n'ai pas de sœur.*
- **B** *J'ai une petite sœur.*
- **C** *Je n'ai pas de frères et sœurs.*
- **D** *J'aime jouer au foot.*
- **E** *Nous sommes quatre.*

LIRE **1b** **Fais des recherches.**
Fais la liste de cinq mots que tu ne connais pas et compare ta liste avec la liste de ton/ta partenaire.

- Qu'est-ce que (gronder) veut dire?
- (To tell off/scold)/Je ne sais pas. Il faut chercher dans le vocabulaire.

1c LIRE **Copie et remplis la grille.**

1d ÉCOUTER **L'amour ou la guerre? Écoute et remplis la grille.**

	frère	*sœur*	*amour (✓) ou guerre (✗)*	*autre*
Jérôme				
Marjolaine				
Éric			ACTIVITÉ 1c	
Camille				
Sophie				
Victor				
Lætitia				
Cyrille			ACTIVITÉ 1d	
Bertrand				
Joumana				

1e ÉCRIRE **Mon frère/Ma sœur.**

J'ai un frère/une sœur qui s'appelle …
Il/Elle a … ans.
Il/Elle est sympa/embêtant(e)/gâté(e)/sportif(ive).
Il/Elle fait/joue …

Chez nous c'est l'amour/la guerre.
On s'entend bien. Nous jouons/faisons … ensemble.
On se dispute pour …
Je m'énerve parce qu'il/elle …
Je l'aime bien./Je le/la déteste.

2a LIRE **Lis la lettre d'Alex et réponds aux questions.**

Salut Pascal

J'ai un problème. J'habite à Paris mais mon père a un nouveau travail et en août nous allons déménager à Metz. J'ai peur de la rentrée parce que je dois changer de collège. Je trouve difficile de me faire de nouveaux amis. Comme je suis un peu gros et que j'ai des boutons j'ai vraiment peur qu'on se moque de moi. En plus je parle avec un accent différent. Qu'est-ce que je peux faire?

Alex

1 Où habite Alex actuellement?
2 Où va-t-il habiter en août?
3 Pourquoi?
4 Qu'est-ce qu'il trouve difficile?
5 Pourquoi?

les boutons	*spots*
se moquer de quelqu'un	*to make fun of someone*

2b LIRE **Lis les réponses et donne une note sur 10 à chaque réponse.**

Salut Alex

Moi aussi, j'ai changé de collège. C'est très difficile parce que tous les autres ont des amis. Je suis aussi un peu timide. Il y a une fille dans ma classe qui a une maladie très grave. Elle ne peut plus faire du sport. Je lui ai parlé et nous sommes devenus amis. J'ai trouvé qu'il y a toujours quelqu'un qui a un problème plus grand que le tien. **Mélanie**

Alex, pour te faire vite des amis achète des biscuits ou des bonbons pour offrir dans la cour. Ça te donne une raison pour parler aux autres. **Rebecca**

Il faut faire un effort, en classe offre une feuille ou un stylo à ton voisin pour lui parler et à la cantine propose ton dessert à quelqu'un … à moi, par exemple! **Gérald**

Inscris-toi aux activités organisées le mercredi après-midi comme le sport, les échecs ou l'informatique. **Mathieu**

Si tu es timide et tu te plains toujours on va te trouver ennuyeux. Il faut être intéressant et enthousiaste. **Michael**

2c PARLER **Discute avec ton/ta partenaire. D'accord ou pas?**

- La réponse de … est bonne/n'est pas bonne.
- J'ai donné la note (neuf sur dix).
- D'accord./Non je ne suis pas d'accord. J'ai donné la note …

2d LIRE **Lis.**

Friends, c'est cool, parce que c'est une bande de copains aux États-Unis, qui habitent dans le même appartement et partagent tout: secrets, émotions fortes, chagrins et moments de bonheur. Ils s'énervent mais ils restent toujours amis. **Anika**

J'adore la série *Friends*. J'aime les acteurs et les sujets. C'est rigolo. Ils s'entendent bien mais ils s'énervent aussi. Quand je rentre, c'est la première chose que je regarde. **Ludivine**

Friends, c'est génial! C'est plein d'humour et c'est complètement différent des autres séries à la télévision. **Franck**

J'aime regarder cette série, parce que c'est vraiment amusant. C'est une bande d'amis qui habitent ensemble et qui partagent leurs problèmes et leurs histoires d'amour. Vive *Friends*! **Odile**

Au début, je n'aimais pas trop, puis j'ai trouvé ça de plus en plus amusant et maintenant je suis une vraie fan. **Alexia**

Trouve un mot qui veut dire

a amusant et qui commence avec **r** …
b une personne qui joue un rôle dans un film, qui commence avec **a** …
c un genre d'émission à la télévision, et qui commence avec **s** …
d une groupe d'amis et qui commence avec **b** …
e la tristesse qui commence avec **c** …

et … f trois mots qui veulent dire qu'on trouve la série amusante.
g une phrase qui veut dire que ce n'est pas comme les autres émissions.

Chanson

Je suis amoureux de Nabila,
Elle est marrante, elle est sympa.
Elle va souvent à la piscine
Avec ma cousine Amandine.
Je pense tout le temps à Nabila,
Mais Nabila préfère Thomas.

Refrain
Je ne veux pas me lever
Je ne veux pas m'habiller
Je ne peux rien manger
Je veux seulement pleurer.

Ah! Thomas est plus grand que moi,
Oh, là, là, j'ai les cheveux gras.
Ah! Thomas a les cheveux blonds,
Aïe! J'ai des boutons sur le front.
C'est vrai, j'aime beaucoup Nabila,
Mais j'ai peur qu'elle se moque de moi.

Refrain

Midi et demi à la cantine,
Je déjeune avec ma cousine,
Avec sa copine Nabila.
Zut! Il y a aussi Thomas.
Bon, je souris à Nabila,
Mais elle prend la main de Thomas.

Refrain

le front	*forehead*

LIRE **1** **Qui est-ce? Thomas? Ou le cousin d'Amandine?**

1 Il a des boutons sur le front.
2 Il veut seulement pleurer.
3 Il ne peut rien manger.
4 Il a les cheveux blonds.
5 Nabila prend sa main.
6 Il a les cheveux gras.

ÉCRIRE **2** **Recopie et complète le journal de Nabila.**

Le cousin de ma __________ Amandine est amoureux de moi. Il est sympa, mais il a les __________ gras et des __________ sur le front. Moi, je préfère Thomas. Thomas est marrant, il __________ grand et il a les cheveux __________. Je ne peux __________ manger. Je pense tout le __________ à Thomas. Je suis amoureuse de Thomas, mais j'ai __________ qu'il se moque de moi …

Mots

Ma famille	*My family*
mon arbre généalogique	*my family tree*
mon grand-père	*my grandfather*
ma grand-mère	*my grandmother*
mes grands-parents	*my grandparents*
mon père	*my father*
ma mère	*my mother*
mes parents	*my parents*
mon oncle	*my uncle*
ma tante	*my aunt*
mon frère	*my brother*
ma sœur	*my sister*
mon cousin	*my cousin (m)*
ma cousine	*my cousin (f)*
moi	*me*
mon beau-père	*my stepfather*
ma belle-mère	*my stepmother*
mon demi-frère	*my half-brother*
ma demi-sœur	*my half-sister*
notre mère	*our mother*
nos cousins	*our cousins*

Les nombres	*Numbers*
trente	*30*
quarante	*40*
cinquante	*50*
soixante	*60*
soixante-dix	*70*
soixante-quinze	*75*
quatre-vingts	*80*
quatre-vingt-cinq	*85*
quatre-vingt-dix	*90*
quatre-vingt-quinze	*95*
quatre-vingt-dix-neuf	*99*

Mes copains	*My friends*
Tu mesures combien?	*How tall are you?*
Je mesure ...	*I'm ... tall.*
un mètre trente	*1m 30cm*
Je suis (il/elle est) ...	*I am (he/she is) ...*
grand(e)	*big*
petit(e)	*small*
plus grand(e)	*bigger*
plus petit(e)	*smaller*
que	*than*
le/la plus grand(e)	*the biggest*
le/la plus petit(e)	*the smallest*
le meilleur (la meilleure)	*the best*
Je suis (il/elle est) ...	*I am (he/she is) ...*
bavard(e)	*talkative*
beau (belle)	*good-looking*
courageux(euse)	*brave*
marrant(e)	*funny*
paresseux(euse)	*lazy*
sportif(ive)	*sporty*
timide	*shy*

Poser des questions	*Asking questions*
Quel âge a ...?	*How old is ...?*
Où habite-il/elle?	*Where does he/she live?*
A-t-il/elle des frères et sœurs?	*Has he/she any brothers or sisters?*
Quel genre de personne est-il/elle?	*What sort of person is he/she?*
Quel sport fait-il/elle?	*What sport does he/she do?*
Quel genre de films préfère-t-il/elle?	*What sort of films does he/she prefer?*

Mon opinion	***My opinion***
Qu'est-ce que tu préfères?	*What do you prefer?*
Je préfère …	*I prefer …*
J'aime …	*I like …*
Je n'aime pas …	*I don't like …*
J'adore …	*I love …*
Je déteste …	*I hate …*
Je le/la/les préfère	*I prefer it/them*
Pourquoi?	*Why?*
parce que …	*because …*

Le corps	***The body***
la tête	*head*
la bouche	*mouth*
les cheveux	*hair*
la dent (les dents)	*tooth (teeth)*
la lèvre (les lèvres)	*lip(s)*
le nez	*nose*
l'oreille (les oreilles)	*ear(s)*
un œil (les yeux)	*eye(s)*
la peau	*skin*
le sourcil (les sourcils)	*eyebrow(s)*
J'ai les cheveux …	*I have … hair.*
gras	*greasy*
secs	*dry*
beaux	*beautiful*
Utilisez …	*Use …*
un shampooing pour …	*a shampoo for …*
le bras (les bras)	*arm(s)*
le cou	*neck*
le doigt (les doigts)	*finger(s)*
le dos	*back*
l'épaule (les épaules)	*shoulder(s)*
le genou (les genoux)	*knee(s)*
la jambe (les jambes)	*leg(s)*
la main (les mains)	*hand(s)*
le pied (les pieds)	*foot (feet)*
la langue	*tongue*
la patte (les pattes)	*paw(s)*
le poil	*hair/fur*
la queue	*tail*

J'ai mal	***I'm not well***
J'ai …	*I have …*
mal aux oreilles	*earache*
mal aux dents	*toothache*
mal à la tête	*a headache*
mal aux pieds	*sore feet*
mal au ventre	*stomach ache*
mal à la gorge	*a sore throat*
de la fièvre	*a temperature*
J'ai chaud.	*I feel hot.*
J'ai froid.	*I feel cold.*
Je tousse.	*I've got a cough.*
Prenez de l'aspirine.	*Take some aspirin.*
Prenez du sirop.	*Take some cough mixture.*
Restez au lit/au chaud.	*Stay in bed/in the warm.*
Sucez des pastilles pour la gorge.	*Suck throat pastilles.*
Mettez un pull.	*Put on a jumper.*
Allez chez le dentiste.	*Go to the dentist.*
Vous désirez?	*What would you like?*
J'ai …	*I have*
Je voudrais quelque chose pour …	*I would like something for …*
Voici …	*Here is/are …*
des comprimés	*some pills*
de l'aspirine	*some aspirin*
du sirop	*some cough mixture*
des mouchoirs en papier	*some paper tissues*

MODULE 4 À TABLE!

1 *Je déjeune*

Saying what you have for breakfast and lunch

Le petit déjeuner

le pain	le croissant
le beurre	le fruit
le sucre	le chocolat chaud
les céréales	le jus d'orange
la confiture	l'eau
le miel	le lait
le café	
le pain au chocolat	

PARLER **1a** **À deux. Qu'est-ce que c'est?**

- 'A', qu'est-ce que c'est?
- 'Le croissant'. 'B'?
- 'Les céréales'./Je ne sais pas. 'C', c'est quoi?

ÉCOUTER **1b** **Écoute et répète. Vérifie tes réponses.**

ÉCOUTER **2a** **Qu'est ce-qu'ils mangent et boivent au petit déjeuner?** (1–9)

LIRE **2b** **Que mangent-ils, que boivent-ils?**

le pain grillé	*toast*

1 *Au petit déjeuner, je mange des céréales et du pain grillé et je bois du chocolat chaud.*

2 *Je mange des céréales avec du lait et du sucre et un fruit.*

3 *Je mange du pain grillé avec du beurre et de la confiture et je bois de l'eau.*

4 *Je ne mange rien.*

5 *Je mange un croissant et je bois du café au lait.*

je ne mange rien	*I don't eat anything*
je ne bois rien	*I don't drink anything*

2c ÉCRIRE **Que manges-tu au petit déjeuner? Et que bois-tu?**

2d PARLER **Interviewe ton/ta partenaire et note ses réponses.**

- Qu'est-ce que tu manges au petit déjeuner?
- Je mange …
- Qu'est-ce que tu bois?
- Je bois …

Il/Elle mange …
Il/Elle boit …

Le détective

	Masc.	***Fem.***	***Plural***
the	le	la	les
some	du (de l')	de la (de l')	des

We don't always use it in English but in French 'some' is always put in.

je mange des céréales	*I eat (some) cereal*
je bois du lait	*I drink (some) milk*
But: je mange un croissant	*I eat a croissant*

Pour en savoir plus ➡ page 137, pt 16

3a LIRE **Le déjeuner. Lis et comprends.**
À deux, cherchez les mots que vous ne connaissez pas dans le vocabulaire.

- Du riz, qu'est-ce que c'est?
- Riz, c'est 'rice'. La viande? Qu'est-ce que c'est?
- Je ne sais pas. Il faut le chercher dans le vocabulaire.

Entrée:

Plat principal:

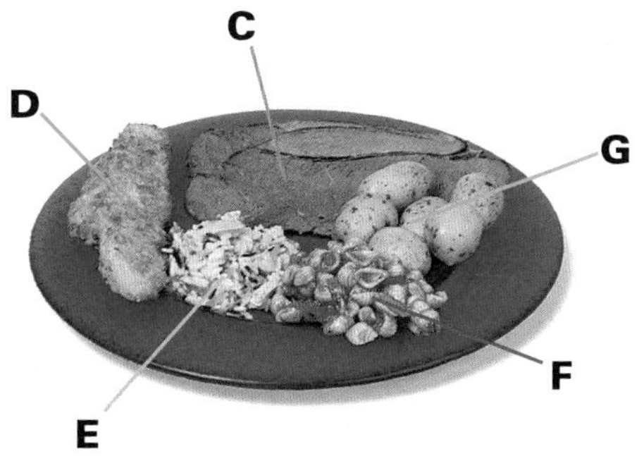

Dessert:

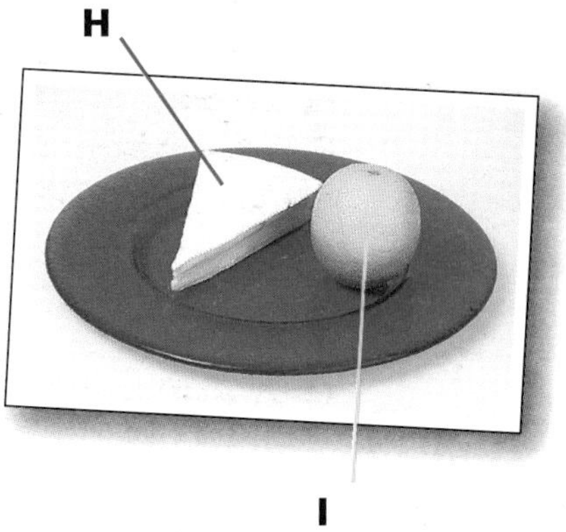

3b LIRE **Vrai ou faux? Corrige les phrases qui sont fausses.**

À midi:

1. Antoine mange à la cantine.
2. Il mange une entrée, un plat principal et un dessert.
3. Le plat préféré d'Antoine, c'est un steak avec des frites.
4. Son dessert préféré, c'est la mousse au chocolat.

À midi, je mange à la cantine. Nous mangeons une entrée: de la salade ou de la soupe; un plat principal: de la viande ou du poisson avec du riz, des pâtes ou des pommes de terre; et comme dessert: du fromage ou un fruit. Mangez-vous à la cantine à midi? Est-ce qu'on y mange bien ou pas? Mon plat préféré, c'est le poulet avec des frites. Comme dessert, j'adore la mousse au chocolat. Qu'est-ce que vous mangez et buvez?

Antoine

3c ÉCRIRE **Écris une réponse à Antoine.**

2 *On fait les courses*

Shops and shopping for food

Chez le marchand de fruits et légumes

les aubergines	les bananes
les carottes	les oranges
le chou	les poires
les courgettes	
les oignons	
les pommes de terre	
les tomates	

1a (PARLER) À deux.

- 'A', c'est quoi?
- 'Les poires'. 'B', c'est quoi?

1b (ÉCOUTER) **Qu'est-ce qu'ils achètent? Écoute et répète. (1–6)**

1c (ÉCRIRE) **Écris la liste des courses de Grégory. Qu'est-ce qu'il achète?**

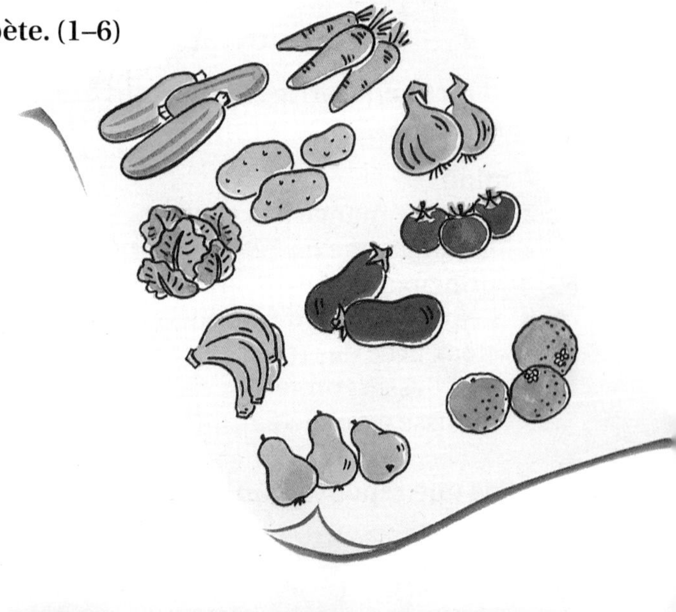

la boulangerie

la pâtisserie

la charcuterie

la boucherie

le supermarché

PARLER 2a Où est-ce qu'on les trouve?

- Je voudrais du/de la/des …

A le jambon

B le fromage

C les pommes

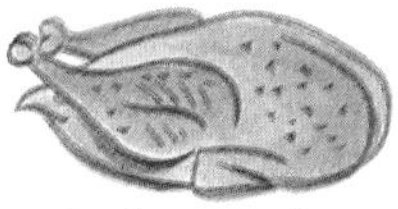
D le poulet

E le gâteau

F la baguette

G les boissons

H les bonbons

- Il faut aller à la/au …
- C'est près d'ici?
- C'est à deux minutes d'ici/
  C'est à côté du supermarché/
  C'est en ville/Il faut prendre le bus.

il faut	*you have to/you must*
il faut (aller/prendre)	*you have to (go/take)*

ÉCOUTER 2b Qu'est-ce qu'ils achètent? Où vont-ils? C'est où? (1–5)

Rappel à …

How to say to (the shop)

Masc.	*Fem.*	*Plural*
au (à l')	à la (à l')	aux

à la boulangerie
au supermarché

LIRE 2c Où est-elle allée? Copie et remplis la grille.

Ce matin, j'ai fait les courses. J'ai acheté des tomates, de la salade et des oignons, du bœuf haché, pour faire des hamburgers, 6 œufs, du chocolat noir, du fromage, deux baguettes et six petits pains pour les burgers, une tarte aux fraises, des frites surgelées, et de la crème fraîche.

la boulangerie	*la pâtisserie*	*le marchand de fruits et légumes*	*la boucherie*	*le supermarché*
		tomates		

ÉCRIRE 2d Qu'est-ce qu'elle va manger? Fais le menu!
Tu vas préparer le dîner! Fais le menu. Qu'est-ce que tu achètes? Fais ta liste!

3 Combien?

Saying how much you want

50	cinquante
100	cent
200	deux cents
500	cinq cents

un kilo de pommes de terre | **une livre/500g de sucre** | **250 grammes de jambon** | **une bouteille d'eau gazeuse** | **une boîte d'allumettes**

une boîte de sardines | **un gros/petit camembert** | **un tube de dentifrice** | **un paquet de mouchoirs en papier** | **un pot de yaourt**

PARLER **1a** Qu'est-ce que c'est?

A **B** **C** **D** **E** **F**

G **H** **I** **J** **K** **L**

ÉCOUTER **1b** Qu'est-ce qu'ils achètent? Écoute et note. (1–7)

ÉCRIRE **1c** Fais la liste de tes courses.

PARLER **2a** **Jeu de rôle.**

- Je voudrais …

- Combien en voulez-vous?
- J'en veux …

- Et avec ça?
- Je voudrais …

- Oh, je regrette, je n'en ai plus. Voulez-vous autre chose?
- Avez vous …?
- Oui/Non. … Ce sera tout?
- Oui, merci, ce sera tout. Je vous dois combien?
- Ça vous fait …
- Voilà …
- Merci, madame/monsieur. Au revoir.

ÉCOUTER **2b** **Qu'est-ce qu'il a acheté? (1–12)**

PARLER **2c** **Jouez: Je suis allé(e) (au marché) et j'ai acheté …**

ÉCRIRE **2d** **Écris un sketch: Au marché/ Chez le boulanger …**

Mini-test	**I can …**
• say what I eat and drink for breakfast	
• say what I have for lunch	
• ask where to buy something	
• ask for something in a shop or at the market	
• say how much I want	

Le détective

Quantities

When you say how much of something you want **du**, **de l'**, **de la** *and* **des** *all become* **de**

du vin *but* une bouteille de vin

du dentifrice *but* un tube de dentifrice

en – *of it/of them*

We don't use it in English but in French you must remember to say it:

Combien en voulez-vous?

How much (of it/them) do you want?

J'en veux un kilo *I would like a kilo (of them)*

J'en veux deux tubes *I would like two tubes (of it)*

Pour en savoir plus ➡ page 138, pt 19

4 *Le snack*

Ordering food and drink

Les Boissons

Coca Orangina Limonade	€1,90
Eaux minérales	€1,50
Jus de fruits	€1,90
Café express ou décaf	€1
Vin rouge 25cl	€2,20

Les Entrées

La soupe à l'oignon	€2,70
Salade de tomates assiette	€2,20
Pâté maison	€3,30
Pâtes aux champignons et à la crème	€3,30
Petite salade verte	€2,20

Les Pâtes

Lasagnes maison	€5,30
Spaghetti bolognaise	€5,30
Tagliatelles aux champignons et à la crème	€5,80

Les Plats

Faux-filet haché	€5,30
Poulet rôti	€6,40
Steak	€7,30
Salade niçoise	€4,20
Poisson du jour	€5,30

Tous nos plats sont servis avec des pommes de terre, du riz ou des frites.
Légumes au choix: haricots, épinards, carottes, salade de saison, etc.

Plateau de fromages €3,30

Desserts

Mousse au chocolat	€2,20
Tarte aux fraises	€3,30
Tarte au citron	€2,70
Crème caramel	€2,20
Glaces: vanille, fraise, abricot, citron, chocolat, cassis, noisette, pistache.	€2,40

PARLER 1a **Jeu de rôle.**

- Bonjour. Qu’est-cc que je vous sers comme boisson?
- Je voudrais …

- Vous avez choisi?
- Oui, je voudrais …

- Prenez-vous une entrée?
- Oui, je voudrais …/Non, merci.

- Prenez-vous un dessert?
- Oui, je voudrais …/Non, merci, je ne prends pas de dessert.

ÉCOUTER 1b **Que prennent-ils? Écoute et note. (1–5)**

PARLER 1c **Jouez: Je suis allé(e) au café et j’ai mangé/j’ai bu …**

ÉCOUTER 1d **L’addition, s’il vous plaît. Trouve les erreurs. (1–5)**

ÉCRIRE 2a **Fais le menu de ton café idéal.**

PARLER 2b **Jouez un sketch: Au snack.**

5 *Je suis boulanger*

Describing a day in the past

Je m'appelle Sylvain et j'ai dix-sept ans. Mon père est boulanger et je suis apprenti-boulanger. Nous habitons au-dessus du magasin, c'est très pratique.

Hier, je suis descendu à quatre heures et quart pour allumer les fours. Mon père est descendu un peu après et nous avons bu une tasse de café très fort. À quatre heures et demie nous avons commencé à faire la pâte pour le pain. Hier matin, nous avons fait 150 baguettes, 80 flûtes, 50 petits pains, 80 croissants et 60 pains au chocolat. Nous avons mis les premiers pains au four à cinq heures du matin.

Maman est descendue à six heures et quart pour préparer les commandes avant d'ouvrir le magasin à sept heures. Mon frère est allé chercher le pain à sept heures moins dix. Il livre le pain aux hôtels avant d'aller au lycée.

Après avoir fait le pain pour le matin, mon père et moi, nous avons pris le petit déjeuner avant de recommencer à faire des quiches, des pizzas, des tartes et des gâteaux. Finalement nous avons fait encore du pain frais pour le soir. Nous avons fini à trois heures de l'après-midi. Puis nous avons déjeuné. Nous avons mangé des pâtes avec de la sauce bolognaise. Après le déjeuner, j'ai fait la sieste et j'ai dormi pendant deux heures. Le soir, je suis sorti avec mon frère, mais nous sommes rentrés vers dix heures.

Sylvain

ÉCOUTER **1a** **Écoute et lis.**

LIRE **1b** **Lis et comprends.**
Choisis trois mots que tu ne connais pas et cherche-les dans le vocabulaire.

LIRE **1c** **Vrai ou faux?**

1 Sylvain travaille dans une boulangerie.
2 Il habite près de la boulangerie.
3 Il a mangé un sandwich avant de commencer.
4 Sa mère est descendue à 6h50.
5 Le frère de Sylvain travaille dans un hôtel.
6 Ils ont fini à midi.
7 Ils ont déjeuné à trois heures de l'après-midi.
8 Le soir il est resté à la maison avec son frère.

ÉCRIRE 1d **Qu'est-ce qu'ils ont fait?**
Exemple: À 04h15 Sylvain est descendu.

A **B** **C** **D** **E** **F**

ÉCOUTER 2a **Écoute et mets les images dans le bon ordre.**

A

B

Rappel **Talking about the past**

j'ai commencé	nous avons commencé
tu as commencé	vous avez commencé
il/elle a commencé	ils/elles ont commencé

Rentrer (to come back) and descendre (to come down) are two verbs which take **être**.

je suis descendu(e)	nous sommes descendu(e)s
tu es descendu(e)	vous êtes descendu(e)(s)
il/elle est descendu(e)	ils/elles sont descendu(e)s

C

D

E

F

ÉCRIRE 2b **Écris un résumé.**

À Pâques Sylvain est descendu à …
Il a fait …
Il a déjeuné à …
Il a mangé …
Il a bu …
Il a fini à …

PARLER 2d **Interviewe ton/ta partenaire.**

- A quelle heure as-tu commencé?
- Qu'est-ce que tu as fait?
- À quelle heure as-tu déjeuné?
- Qu'est-ce que tu as mangé?
- Qu'est-ce que tu as bu?
- À quelle heure as-tu fini?
- C'était comment, ton stage?

ÉCRIRE 2c **Imagine que tu as fait un stage dans la boulangerie du père de Sylvain. Décris ta journée.**

J'ai commencé à …
J'ai fait …
J'ai déjeuné à …
J'ai mangé …
J'ai bu …
J'ai fini à …
C'était …

ÉCRIRE 2e **Écris un rapport pour le journal de ton collège: Une journée typique.**

Exemple:
Sylvain est apprenti-boulanger.
Il a … ans. Il descend à …

Bilan et Contrôle révision

I can ...	
● *say what I eat and drink for breakfast*	Je mange ... du pain, du beurre, du sucre, des céréales, de la confiture, du miel, un pain au chocolat, un croissant, un fruit Je bois ... du chocolat chaud, du jus d'orange, de l'eau, du lait, du café
● *say I don't eat or drink anything*	Je ne mange rien. Je ne bois rien.
● *say what I have for lunch and what someone else has*	Je mange, Il/Elle mange ... du riz, de la salade, des carottes, de la soupe ...
● *ask what someone else eats and drinks ...* *... and report back*	Que manges-tu? Que bois-tu? Il/Elle mange/boit ...
I can ...	
● *ask if the shop is near*	La boulangerie est près d'ici?
● *say what I want*	Je voudrais ... du jambon/de la viande/des chips ...
● *say how much of something I want*	J'en voudrais 500g
● *ask for a bottle/tin/tube/packet, etc.*	Je voudrais une bouteille de ..., une boîte de ..., un tube de ..., un paquet de ..., un pot de ...
I can ...	
● *say what I want at the café*	Vous avez choisi? Je voudrais un steak frites. Prenez-vous une entrée? Oui, je voudrais la soupe à l'oignon. Prenez-vous un dessert? Oui, je voudrais une mousse au chocolat./Non, merci, je ne prends pas de dessert.
● *talk about a day in the past*	J'ai commencé à ..., J'ai fait ..., J'ai déjeuné à ..., J'ai mangé ..., J'ai bu ..., J'ai fini à ...

ÉCOUTER **1** **On mange à la cantine. Que prennent-ils?** (1–2)

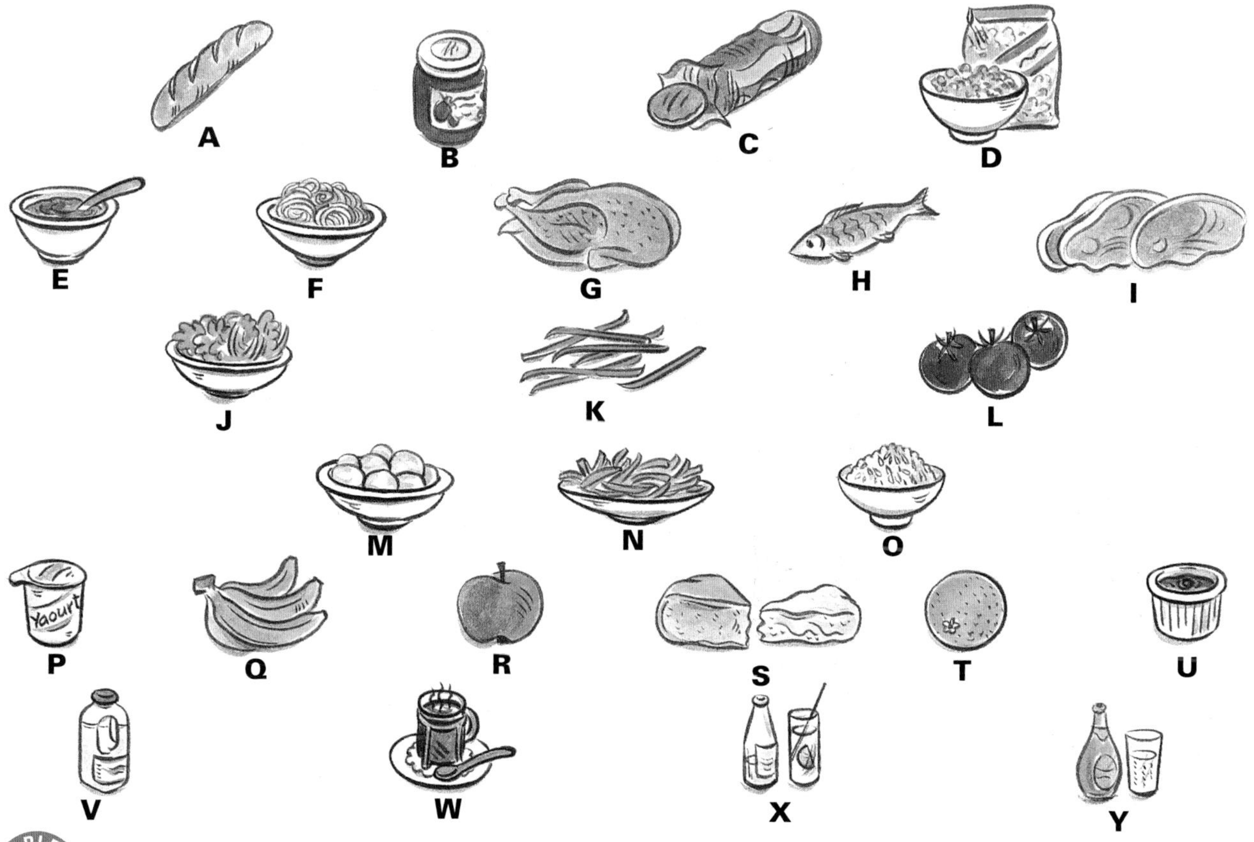

PARLER **2** **À deux. Interviewe ton/ta partenaire.**

- Qu'est-ce que tu prends comme entrée?
- Et comme plat principal?
- Et avec ça?
- Et comme dessert?
- Et qu'est-ce que tu bois?

LIRE **3** **C'est pour quel repas?**

Exemple:
petit déjeuner: A, …
déjeuner:
dîner:

Pour le petit déjeuner je mange du pain avec du beurre et de la confiture et je bois du chocolat chaud. À midi, je rentre à la maison et je mange de la salade, du poulet, du riz, des haricots, et comme dessert un yaourt. Quand je rentre à cinq heures, je mange un biscuit et je bois du lait. Le soir nous avons une soupe et du jambon, du fromage et du pain et un fruit. Je préfère les bananes.

ÉCRIRE **4** **Écris une lettre à ton correspondant(e). Raconte-lui ce qu'on mange et boit normalement chez toi.**

Pour le petit déjeuner on mange … et on boit …
Pour le déjeuner on mange … et on boit …

En Plus *Aimez-vous manger des cuisines d'ailleurs?*

Plats italiens

A

B

C

D

des spaghettis
des lasagnes
la pizza
des canellonis

Plats indiens

E

F

G

H

des poppadums
le korma
des naan
du riz

Plats chinois

I

J

K

les nouilles parfumées
les rouleaux de printemps
le porc à l'aigre-doux

Les fruits exotiques

L

M

les mangues
l'ananas

PARLER **1a** Qu'est-ce que c'est?

- 'A'?
- Ce sont des lasagnes. 'B', c'est quoi?
- 'B'? C'est .../Je ne sais pas.

LIRE 1b **Lis et écoute et réponds aux questions.**

Mon plat préféré ce sont les lasagnes. Je préfère les lasagnes aux légumes, parce que je ne mange pas de viande. On les fait avec des pâtes, de la sauce au fromage et des légumes dans une sauce tomate.

Romain

Mon plat préféré, c'est quelque chose qui s'appelle chicken korma. On le fait avec du poulet, des oignons, des légumes et une sauce faite avec beaucoup d'épices. Je le mange avec du riz et des naans. J'adore les poppadums. J'aime les goûts épicés.

Emmanuelle

J'adore la cuisine antillaise. Mon plat préféré c'est fait avec des légumes, des épices et du poisson et on le mange avec du couscous. Je mange aussi beaucoup de bananes, elles sont très bonnes pour la santé parce qu'elles sont riches en vitamines.

Lauriane

Mon plat préféré c'est quelque chose qui s'appelle porc à l'aigre-doux. C'est du porc coupé en petits morceaux et qu'on fait cuire dans une friteuse. On le mange avec une sauce faite avec de l'ananas, des oignons et des poivrons avec du sucre et du vinaigre. J'aime aussi les germes de soja. On le sert avec du riz ou des petites nouilles parfumées.

Thomas

Mon plat préféré c'est le poisson pané avec des frites. Je l'assaisonne et je le mange avec du sel, du ketchup ou du vinaigre. Chez nous, on le mange avec une tranche de citron et des petits pois ou des haricots verts.

Olivier

1 Qui aime manger à l'italienne?
2 Qui préfère la cuisine chinoise?
3 Qui aime manger la cuisine indienne?
4 Qui est végétarien?
5 Qui aime la cuisine antillaise?

ÉCOUTER 1c **Qui parle?** (1–5)

PARLER 1d **Choisis ton plat préféré. Interviewe ton/ta partenaire.**

- Quel est ton plat préféré?
- C'est quoi?
- Tu le manges avec quoi?

ÉCRIRE 1e **Écris un rapport.**

Mon plat préfére, c'est …
Son plat préféré, c'est …

2a Brainstorming. Faites la liste des produits français que vous connaissez déjà.

A

B

C

D

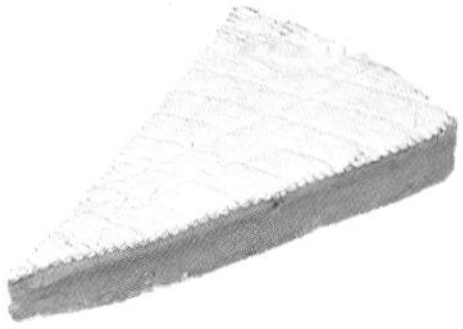

E

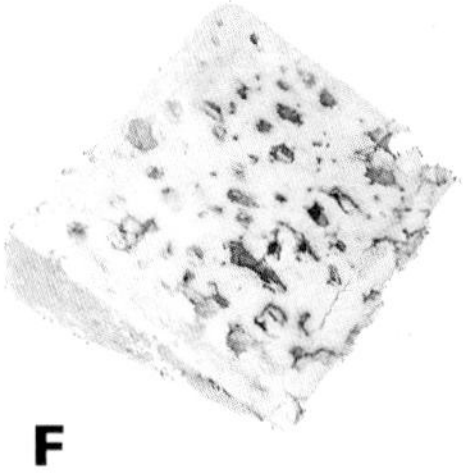

F

G

H

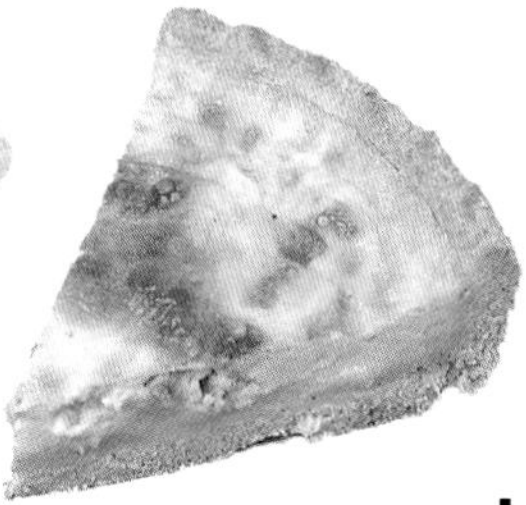

I

J

K

L

M

N

O

P

Q

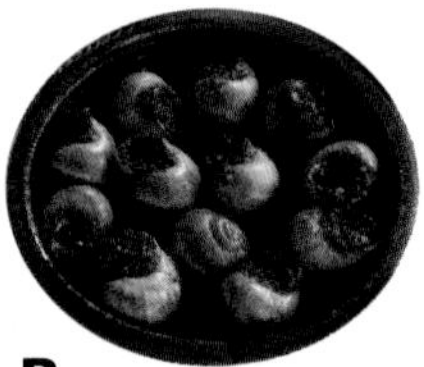

R

S

2b C'est comment? (1–4)

✓✓	✓	–	✗
délicieux/euse	**bon/bonne**	**pas mal**	**beurk**

	le camembert	*les escargots*	*les babas au rhum*	*la mousse au chocolat*	*la brioche*
1	✓				

Chanson

J'ai faim, j'ai soif,
J'ai mangé de la pizza,
Des pâtes aux champignons
Avec beaucoup de jambon.
Je voudrais du poulet,
C'est mon plat préféré.
Avec des petits oignons,
C'est bon, c'est super bon!

J'ai faim, j'ai soif,
J'ai bu une limonade,
Une bouteille de coca,
Et un orangina.
Ma boisson préférée,
C'est une grande tasse de thé.
Avec un peu de citron,
C'est bon, c'est super bon!

J'ai faim, j'ai soif,
J'ai mangé du fromage,
Une mousse au chocolat,
Une glace à l'ananas.
Je voudrais un sorbet,
Mon dessert préféré,
Ou une tarte au citron.
C'est bon, c'est super bon!

J'ai chaud, j'ai froid,
Aïe, Aïe, Aïe, je suis malade.
J'ai mangé trop de poulet,
J'ai bu trop de café.
Oh, là, là, ça ne va pas,
Je ne veux pas de chocolat.
Et je ne veux pas de gâteau.
Donnez-moi un verre d'eau!

LIRE 1 **Déchiffre et recopie le menu.**

p-z-a-i-z
s-t-â-p-e a-u x g-n-o-c-h-i-m-p-a-n-s
t-o-u-p-l-e
****

s-m-o-u-s-e a-u c-a-c-h-o-t-o-l
c-a-g-l-e à l'a-n-n-a-s-a
b-r-o-s-t-e
r-a-t-t-e a-u t-r-o-n-i-c
****

m-o-i-l-a-n-d-e
h-é-t
f-a-c-é

ÉCRIRE 2 **Recopie et complète le nouveau couplet.**

J'ai ___________, j'ai ___________
J'ai ___________ de la salade.
Avec ___________ de poulet.
C'est mon ___________ préféré.
J'ai ___________ une tasse de thé,
Ma boisson ___________.
Avec un peu de citron,
C'est bon, c'est super ___________!

Mots

Le petit déjeuner	***Breakfast***
Je mange ...	*I eat ...*
du beurre	*butter*
des céréales	*cereals*
de la confiture	*jam*
un croissant	*a croissant*
un fruit	*a fruit*
du miel	*honey*
du pain	*bread*
du pain grillé	*toast*
un pain au chocolat	*a pain au chocolat*
du sucre	*sugar*

Je bois ...	*I drink ...*
du café	*coffee*
du chocolat chaud	*hot chocolate*
de l'eau	*water*
du jus d'orange	*orange juice*
du lait	*milk*
du thé	*tea*

Le déjeuner	***Lunch***
les entrées	*starters*
une salade verte	*green salad*
de la soupe	*soup*
le plat principal	*main course*
de la viande	*meat*
un bifteck	*steak*
du poulet	*chicken*
un steak haché	*burger*
du jambon	*ham*
du poisson	*fish*
avec	*with ...*
des frites	*chips*
des pâtes	*pasta*
des pommes de terre	*potatoes*
du riz	*rice*
les desserts	*desserts*
un fruit	*fruit*
du gâteau	*cake*
une mousse au chocolat	*chocolate mousse*
une tarte aux fraises	*strawberry tart*
un yaourt	*yoghurt*
du fromage	*cheese*
Je ne mange pas de poisson/viande/frites.	*I don't eat any fish/meat/chips.*
Je ne mange rien.	*I don't eat anything.*

Les fruits et les légumes	***Fruit and vegetables***
l'ananas (m)	*pineapple*
la banane	*banana*
la cerise (les cerises)	*cherry (cherries)*
le citron	*lemon*
la fraise (les fraises)	*strawberry (strawberries)*
la framboise (les framboises)	*raspberry (raspberries)*
l'orange (f)	*orange*
la pêche	*peach*
la poire	*pear*
la pomme	*apple*
le raisin	*grape*
l'ail (m)	*garlic*
l'aubergine (f)	*aubergine*
la carotte	*carrot*
le champignon	*mushroom*
le chou	*cabbage*
le chou-fleur	*cauliflower*
la courgette	*courgette*
le haricot (les haricots)	*bean(s)*
l'oignon (m)	*onion*
les petits pois	*peas*
la pomme de terre	*potato*
le radis	*radish*
la salade	*lettuce*
la tomate	*tomato*

Les magasins	***Shops***
la boucherie	*butcher's*
la boulangerie	*baker's*
la charcuterie	*delicatessen*
la pâtisserie	*cake shop*
le supermarché	*supermarket*
une baguette	*French stick (bread)*
des bonbons	*sweets*

Combien en voulez-vous?	***How much/how many would you like?***
1kg/un kilo	*a kilo*
un demi kilo	*half a kilo*
cent grammes	*100 grams*
deux cents	*200*
deux cent cinquante	*250*
cinq cent grammes	*500 grams*
une boîte de …	*a tin of …*
une bouteille de …	*a bottle of …*
un paquet de …	*a packet of …*
un pot de …	*a pot of …*
un tube de …	*a tube of …*
des chips	*crisps*
un paquet de mouchoirs en papier	*a packet of tissues*
une boîte de sardines	*a tin of sardines*
une boîte d'allumettes	*a box of matches*
un tube de dentifrice	*a tube of toothpaste*
un pot de crème fraîche	*a pot of crème fraiche*
un tube de purée de tomates	*a tube of tomato puree*
un paquet de chewing gums	*a packet of chewing gum*

Au snack	***At the café***
les boissons	*drinks*
un coca	*coca cola*
une limonade	*lemonade*
de l'eau minérale	*mineral water*
gazeuse/non gazeuse	*fizzy/still*
une glace	*ice cream*
Qu'est-ce que je vous sers comme boisson?	*What would you like to drink?*
Je voudrais …	*I would like …*
Vous avez choisi?	*Have you chosen?*
s'il vous plaît	*please*
merci	*thank you*
C'est tout.	*That's all.*

MODULE 5 UNE SEMAINE À PARIS

1 *L'invitation*

Arranging a visit

1a LIRE **Lis cet e-mail et réponds aux questions.**

1 Qui écrit?
2 Ils écrivent à qui?
3 Où vont-ils passer les vacances?
4 Quand?

Fichier Édition Affichage Insertion Format Outils Message

Répondre Répondre à tous Transférer

Chère Eleanor, Cher Daniel,

Comment allez-vous? Ici on fait les projets pour les vacances. Nous allons passer deux semaines chez notre grand-mère en Normandie et puis nous allons passer une semaine à Paris avec nos parents. Ils veulent savoir si vous voulez venir à Paris avec nous. Quand est-ce que vous préférez venir, au mois de juillet ou au mois d'août?

Nous espérons que vous pourrez venir! Écrivez-nous vite!

À très bientôt

Agnès et Bénédict

Le détective

vouloir	***to want to***
je veux	nous voulons
tu veux	vous voulez
il/elle veut	ils/elles veulent

Pour en savoir plus ➡ page 139, pt 21

1b ÉCRIRE **Tape une réponse à Agnès et Bénédict.**

Fichier Édition Affichage Insertion Format Outils Message

Répondre Répondre à tous Transférer

Chère Agnès, Cher Bénédict

Merci pour l'invitation. Nous (aller) venir à Paris. Nous préférons venir au mois de juillet, parce que nous faisons un stage de voile en Écosse au mois d'août. Écrivez-nous vite si vous (aller) venir en Écosse avec nous, parce qu'il faut réserver des places. Qu'est-ce qu'on (aller) faire et qu'est-ce qu'on (aller) voir à Paris? Est-ce qu'il va faire très chaud?

À bientôt

Eleanor et Daniel

Rappel **Le futur proche – the near future**

To say what you are going to do you use **aller** and the infinitive just as you do in English

Je vais aller en France

I am going to go to France

Nous allons prendre le train

We are going to take the train

Aller is an irregular verb

je vais	nous allons
tu vas	vous allez
il/elle/on va	ils/elles vont

1c Écouter

Au téléphone. Écoute et note les dates (et autres informations).

Paris arrivée:
départ:
Angleterre arrivée:
départ:
Écosse arrivée:
départ:

2a Lire

C'est quel monument?

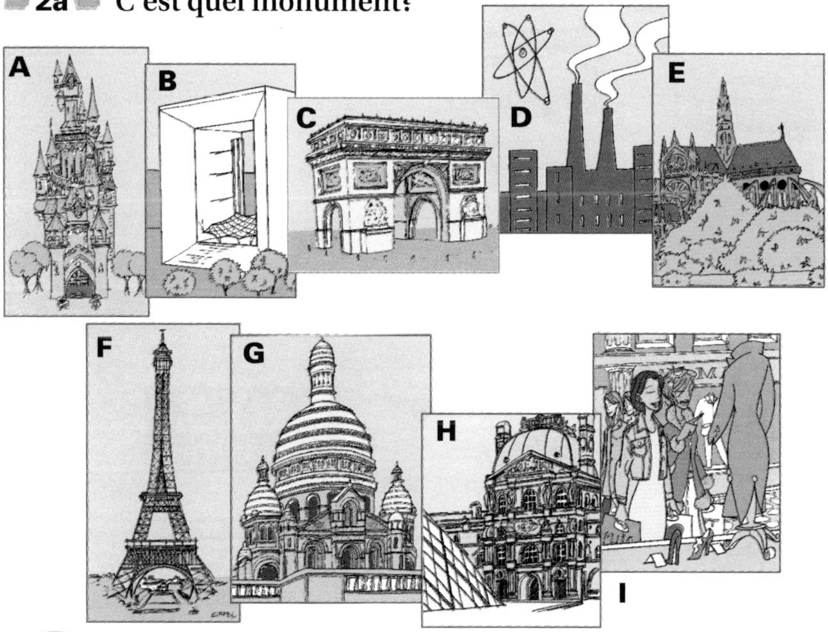

- La tour Eiffel
- L'Arc de triomphe
- Le musée du Louvre
- La Grande Arche de la Défense
- Le Sacré-Cœur
- La cathédrale Notre-Dame
- la Cité des Sciences et de l'Industrie
- les magasins
- le Parc Disneyland

Rappel **à + le/l'/la/les**

à + le/l' = au
à + la/l' = à la
à + les = aux

2b Écouter

Où vont-ils aller? Qu'est-ce qu'ils vont voir? (1–5)

2c Parler

Discutez. On va aller où?

- On va aller à la/au/aux …?
- Oui, je veux bien./
  Non, je ne veux pas y aller.
  Je préfère aller à la/au/aux …

2d Écrire

Lis cet e-mail et écris une réponse.

À Paris nous voulons voir/aller à …

Fichier Édition Affichage Insertion Format Outils Message

Répondre Répondre à tous Transférer

Salut!

C'est entendu, vouz allez venir à Paris avec nous en juillet et nous allons venir en Écosse avec vous en août!

Est-ce qu'il y a des monuments ou des musées particuliers que vous voulez voir à Paris? Voulez-vous aller au Parc Astérix ou Parc Disneyland?

2 *On va à Paris*

Talking about how to get there

1a C'est quel moyen de transport? Fais correspondre chaque mot à son image.

Exemple: le bus E

A

B

C

D

E

F

G

H

I

- le bus
- le train
- le car
- le vélo
- la voiture
- l'avion
- le métro
- la moto
- le bateau

1b C'est quel moyen de transport?

RATP

AIR FRANCE

SNCF

P&O European Ferries

M

TGV

EURO TUNNEL

eurolines

1c Comment vont-ils à Paris? Pour combien de temps?

Mr Smith **la famille Brook** **John et Judy** **la classe 8c** **Nick et Tony**

1d Comment vont-ils à Paris? Pose des questions à ton/ta partenaire.

- Comment va/vont … à Paris?
- Il/Elle y va en …
  Ils/Elles y vont en …

Le détective

In French to say 'there', you put y *before the verb.*

Je vais à Paris. *I am going to Paris.*
Tu y vas seul(e)? *Are you going (there) alone?*
Non, j'y vais avec ma classe.
No, I'm going (there) with my class.

Pour en savoir plus ➡ page 140, pt 23

LIRE 2a **Ils vont à Paris. Copie la grille pour 2a et 2b. Lis et remplis la grille.**

Cet été, je vais à Paris avec ma classe. Nous allons y passer une semaine. Nous y allons en car, c'est moins cher mais le voyage est long!

Alison

Je vais en France avec mon frère et mes parents. Nous allons au Parc Disneyland. Nous y allons pour deux jours. Nous prenons le train, c'est plus rapide.

Jacob

Je vais à Paris avec ma grande sœur. Nous prenons l'Eurostar parce que c'est direct. Nous y allons pour une semaine. Je veux faire la première partie de l'ascension de la tour Eiffel à pied.

Ellie

Mon père et moi, nous allons à Paris pour le week-end. Nous allons visiter les monuments et aller au Parc Disneyland. Mon père a beaucoup d'*'Airmiles'* et nous y allons en avion. En plus, c'est plus rapide.

Jack

Nom	*Avec qui?*	*Pour combien de temps?*	*Comment?*	*Autre*

Rappel

my	mon, ma, mes
your	ton, ta, tes
his/her	son, sa, ses

ÉCOUTER 2b **Écoute et remplis la grille.** (1–4)

PARLER 2c **À deux. Vérifiez.**

- (Alison) va à Paris avec (sa classe)
- (Il/Elle) y va pour (une semaine)
- (Il/Elle) y va (en car)
- (C'est moins cher mais le voyage est long)

PARLER 3a **Choisis ta visite.**

- Je vais (à New York). J'y vais avec (mes parents). Nous y allons (en avion). Nous y allons pour (deux semaines).

Interviewe deux autres et note leurs réponses.

- Où vas-tu? Comment y vas-tu?
  Tu y vas avec qui?
  Vous y allez pour combien de temps?

ÉCRIRE 3b **Fais un résumé.**

Je vais …
Il/Elle va …
J'y vais avec …
Il/Elle y va avec …
Nous y allons pour …
Ils/Elles y vont pour …
Nous y allons en …
Ils/Elles y vont en …

ÉCRIRE 3c **Ton prof le corrige. Puis recopie sans erreurs.**

3 À Paris

Getting to know Paris

LIRE **1a** C'est quel monument?

1

Construite en 1889 pour l'Exposition Universelle de Paris.
Hauteur: 320,76 mètres. Il y a 1 652 marches et 7 ascenseurs.
Il faut 40 tonnes de peinture pour la repeindre tous les sept ans.

2

Construit par Napoléon 1er, en 1836 pour célébrer la victoire de son armée.
Hauteur: 50 mètres. Il y a une flamme qui brûle chaque soir sur la tombe du Soldat Inconnu.

3

Construit en 1190.
C'est l'ancien château des rois de France, aujourd'hui transformé en musée d'art, et visité par plus de 3 millions de personnes par an. La salle de réception du musée est située dans une nouvelle pyramide de verre, construite en 1982.

4

Construite entre 1180 et 1330, sa construction a duré plus de 150 ans!
Hauteur: 69 mètres. Située sur l'île de la Cité, c'est la plus ancienne cathédrale de Paris.

5

Construit en 1977, c'est un centre de la culture française.
Les escaliers sont à l'extérieur et à l'intérieur il y a une bibliothèque, un musée d'art moderne, une salle de concert et un centre d'animation.

le Centre Pompidou

le musée du Louvre

la cathédrale Notre-Dame

la tour Eiffel

l'Arc de triomphe

ÉCOUTER **1b** C'est quel monument? (A–E)

1180	**mille cent quatre-vingts**
1836	**mille huit cent trente-six**
1977	**mille neuf cent soixante dix-sept**
2000	**deux mille**

PARLER **1c** **À deux. Vérifiez.**

- 'A', c'est …
- Oui, d'accord. / Je ne sais pas. Il faut demander à quelqu'un d'autre. 'A', qu'est-ce que c'est?

LIRE **1d** **Cherchez les mots!**

Trouvez ensemble le mot qui signifie:

a la personne qui habite un palais
b un membre de l'armée
c une pièce où on conserve les livres
d de la terre entourée d'eau

Devinez. Qu'est-ce que ça veut dire en anglais?

une exposition
les marches
la peinture
une flamme
ancien / ancienne
une pyramide de verre
les escaliers
à l'extérieur
à l'intérieur

Understanding new words
How did you deal with the words you did not know?
Did you …
guess from the context?
guess from the pictures?
ask someone else?
look them up?

ÉCOUTER **1e** **Où sont-ils allés? C'était comment?** (1–5)

C'était …

super | *intéressant* | *génial* | *ennuyeux* | *fatigant*

ÉCRIRE **2** **Écris un texte.**

Construit en 1531 par le roi François I, le  est situé sur une . Aujourd'hui transformé en 

,  et en  la tour centrale a une hauteur de 230m.

Mini-test **I can …**

- make arrangements for a visit to Paris
- say when I am going …
- … with whom
- … for how long
- … how I am going to travel
- … and what I would like to see and do

4 *Prenez le métro!*

Getting around in Paris

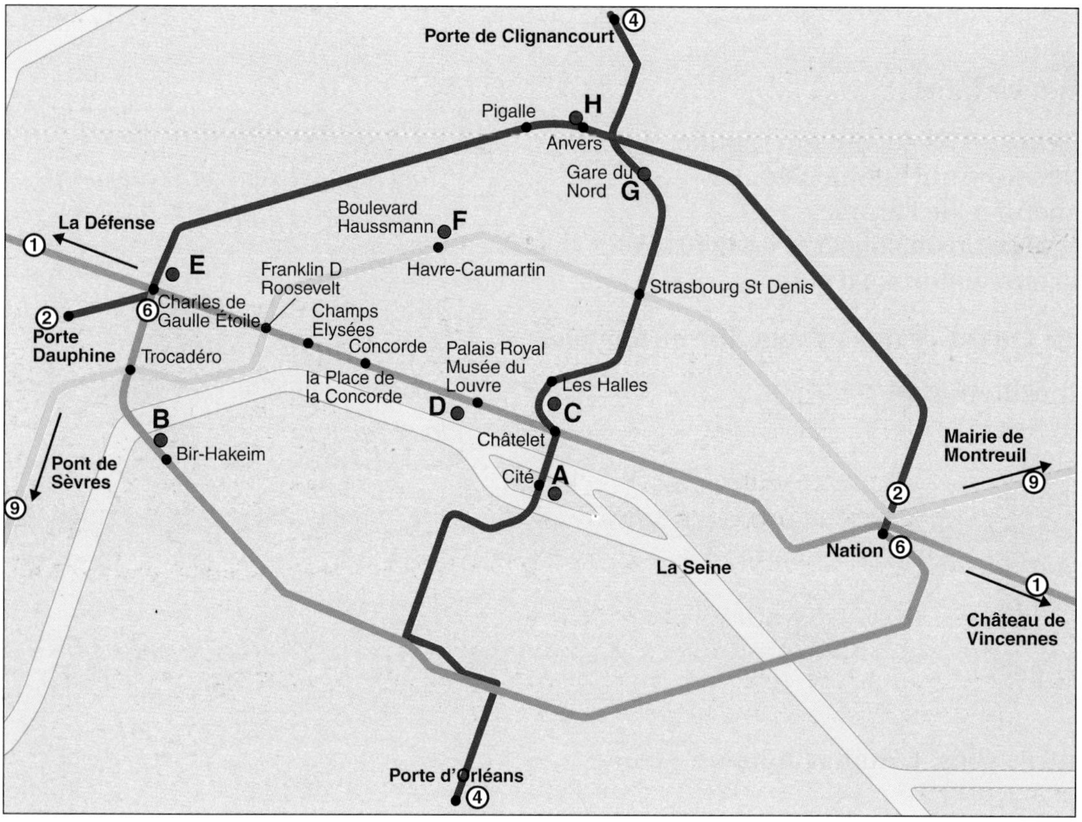

1a **À deux. S'orienter. Trouvez les endroits sur le plan.**

- Qu'est-ce que c'est le 'A'?
- C'est …/Je ne sais pas. Il faut demander à quelqu'un d'autre.

1b **Où vont-ils? Qu'est-ce qu'ils disent? (1–8)**

Il faut prendre le métro ligne …

direction …

ligne 1	ligne 2	ligne 4	ligne 6	ligne 9
La Défense	Nation	Porte de Clignancourt	Nation	Mairie de Montreuil
Château de Vincennes	Porte Dauphine	Porte d'Orléans	Charles de Gaulle-Étoile	Pont de Sèvres

et changez à … et descendez à …

Palais Royal-Musée du Louvre   Châtelet   Cité   Gare du Nord   les Halles
Bir-Hakeim   Strasbourg St Denis   Charles de Gaulle-Étoile
Franklin D Roosevelt   Trocadéro   Anvers   Havre-Caumartin   Nation

ÉCRIRE 1c **Copie et complète les bulles.**

Exemple: **1** *Je voudrais aller aux Halles.*

Pardon madame, je voudrais aller …

1 les Halles

2 la tour Eiffel

3 le Centre Pompidou

4 le Louvre

5 les Champs Élysées

6 la cathédrale Notre-Dame

7 l'Arc de triomphe

8 la gare du Nord

LIRE 2a **Trace l'itinéraire suivi par Émilie et Didier sur le plan.**

On va arriver à la gare du Nord. On va aller directement au Louvre. Après le Louvre, on va directement à l'Arc de triomphe. De l'Arc de triomphe, nous allons descendre les Champs Élysées à pied jusqu'à la place de la Concorde, et puis on va reprendre le métro pour aller aux Halles. Après la visite du Centre Pompidou, il nous reste deux heures pour faire les magasins boulevard Haussmann, et puis il faut retourner à la gare du Nord pour reprendre le train.

ÉCRIRE 2b **Fais une liste de directions pour Émilie et Didier.**

Exemple: *Pour aller (au Louvre) vous prenez le métro, la ligne (4) direction (Porte d'Orléans) et vous (changez à Châtelet) …*

PARLER 3 **Jeu de rôle. À l'Opéra.**

- Pardon monsieur/madame, pourriez-vous m'indiquer comment aller …

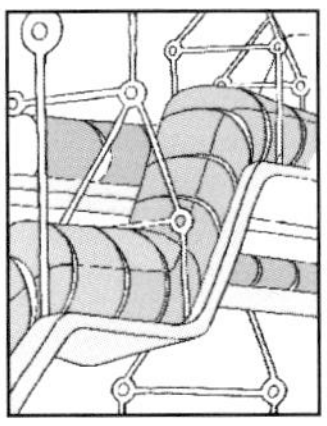

- Vous prenez le métro, la ligne … 1, 2, 4, 6, 9

  direction …

  et vous descendez à …/ changez à …
- Pouvez-vous répéter, s'il vous plaît?
- …
- Merci, madame/monsieur.
- Je vous en prie.

Vous pouvez acheter un ticket

au tabac

à la billetterie automatique à la gare

prix du ticket: 8F
un carnet de tickets: 10 tickets 55F
un ticket journée 50F
N'oubliez pas de passer votre ticket dans la machine à la barrière de contrôle.

5 *Le journal de Daniel et Eleanor*

Talking about what you have done

PARLER **1a** **À deux. Qu'est-ce qu'ils ont fait?**

- Qu'est-ce qu'ils ont fait samedi?
- Samedi, ils sont partis à …
- Ils sont arrivés à la gare du Nord à …
- Dimanche, ils sont …

Rappel **Le passé composé**

j'ai	acheté, regardé, aimé,
tu as	mangé, visité, marché
il/elle a	fait
nous avons	bu, vu
vous avez	
ils/elles ont	
je suis	allé(e), arrivé(e), parti(e)
tu es	
il/elle est	
nous sommes	allé(e)s, arrivé(e)s, parti(e)s
vous êtes	
ils/elles sont	

ÉCOUTER 1b **C'était comment? (1–8)**

- *super*
- *génial*
- *intéressant*
- *pas mal*
- *fatigant*
- *ennuyeux*

ÉCRIRE 2 **Fais un reportage. Une visite à Paris.**
Fais des recherches.
Découpe ou dessine des images.
Visite le site
www.paris-touristoffice.com

Bilan et Contrôle révision

I can …	
● *make arrangements for a visit to Paris, saying when I am leaving …*	Je vais/Il/Elle va/Nous allons partir …lundi,mardi, mercredi, jeudi, vendredi, samedi, dimanche le premier, deux, trois … janvier, février, mars, avril, mai, juin, juillet, août, septembre, octobre, novembre, décembre
● *… and when I am arriving*	Je vais/Il/Elle va/Nous allons arriver à 15h00
● *say with whom I am going*	J'y vais/Il/Elle y va/nous y allons avec mes parents/ma classe/mes copains/seul(e)
● *say how long I am staying*	Je vais/Il/Elle va/nous allons y rester une nuit/deux nuits/une semaine/un mois
● *say how I am going to travel …*	J'y vais/Il/Elle y va/nous y allons en train/en car/en avion/en vélo
● *… and what I want to see and do*	Je veux voir la tour Eiffel Je veux faire un tour des monuments, visiter un musée Je veux aller aux Halles
I can …	
● *say where I have been …*	Je suis allé(e)/Nous sommes allé(e)s …
● *… and what I have seen*	J'ai vu/Nous avons vu …
● *say what I have visited*	J'ai visité/Nous avons visité …
● *say what I have done*	J'ai fait/Nous avons fait …
● *say what I have eaten …*	J'ai mangé/Nous avons mangé …
● *… and what I drank*	J'ai bu/Nous avons bu …
● *say what I have bought*	J'ai acheté/Nous avons acheté …
● *ask for and give directions*	Pardon monsieur, madame, pourriez-vous m'indiquer comment aller …? Vous prenez le métro, la ligne … direction … et vous descendez à …/changez à … Pouvez-vous répéter s'il vous plaît? Merci madame, monsieur.
● *say whether I had a good time*	C'était super, intéressant, génial, ennuyeux, fatigant

ÉCOUTER

1 Écoute et note. (1–4)

	1	*2*	*3*	*4*
Quand vont-ils à Londres?				
Avec qui?				
Comment y vont-ils?				
Quand vont-ils arriver?				

PARLER

2 Choisis ta visite et prépare tes réponses.

Je vais venir à Paris …

LIRE

3 C'est quel jour? C'était comment? 

dimanche Nous sommes arrivés à 18h30 à la gare du Nord. Le voyage était fatigant.

lundi Nous sommes allés au Louvre. Moi, j'ai trouvé ça un peu ennuyeux. Il y avait trop de monde.

mardi Nous avons visité Notre-Dame. La cathédrale est magnifique et nous avons bu un panaché (c'est un mélange de bière et de limonade). C'était super.

mercredi Nous sommes allés au Centre Pompidou. Il y avait des artistes de mime. On s'est bien amusé, c'était génial.

jeudi Le matin, nous avons fait les magasins, et nous sommes partis de la gare de Lyon à 15h45. C'était fatigant.

ÉCRIRE

4 Cinq jours à Paris.

Où es-tu allé(e)?	*Je suis allé(e) …*
Qu'est-ce que tu as fait?	*J'ai …*
C'était comment?	*C'était …*

En Plus *J'habite à Paris*

Je m'appelle Marie-Claude ... et j'habite à Paris. Ma famille vient de la Martinique. La Martinique est une île antillaise. Nous habitons un grand immeuble moderne à Barbès. C'est un quartier très animé et plein de vie. Les femmes plus âgées portent souvent leur costume traditionnel splendide et coloré, mais nous portons un jean.

*Je m'appelle **Martin**. Ma famille vient de l'île de la Réunion, mais je suis né à Paris. Nous habitons une vieille maison dans la banlieue nord, dans un quartier plutôt tranquille. Mon père est chauffeur de taxi. Il me dépose au collège le matin. Il est très fier de son jardin. Quelquefois ma mère vend ses légumes au marché.*

Je m'appelle **Mehmet**. Ma famille vient d'Algérie. Nous sommes arrivés à Paris il y a dix ans. Nous habitons un immeuble à Nanterre, une banlieue moderne à l'ouest de Paris. Il y a beaucoup d'immeubles et de gratte-ciel. C'est un peu gris et triste, mais je l'aime bien parce que j'ai beaucoup d'amis qui y habitent et on se retrouve après le collège à la Maison des Jeunes et de la Culture (M.J.C). Mon frère fréquente un lycée à Paris. Il y va en métro.

Je m'appelle Camille. J'habite à Montmartre. Ma famille a toujours habité Paris. C'est un quartier très fréquenté par les touristes. Nous avons un bar, mais mon père rêve d'habiter à la montagne. Je fais de la danse et je vais faire un stage de ballet au Conservatoire.

J'habite sur la Rive Gauche. Mon père travaille à l'université de la Sorbonne Nouvelle. Nous habitons un grand appartement au troisième étage d'un ancien immeuble sur le boulevard Raspail. C'est un quartier très vivant et fréquenté par les étudiants. Je m'appelle **Caroline**.

il y a dix ans *ten years ago*

ÉCOUTER **1a** **Lis et écoute. Qui est-ce?**

1b Qui parle?

1 Notre maison est petite.

2 On peut voir la tour Eiffel de notre appartement.

3 Pendant les vacances j'aide mes parents au bar.

4 Ma grand-mère porte le costume traditionnel.

5 Nous habitons près de l'université dans un quartier assez animé!

1c Réponds aux questions.

1 Où habite Martin?
2 Comment va-t-il au collège?
3 Qui habite à l'ouest de Paris?
4 Quelle famille vient de la Martinique?
5 Que portent les jeunes antillais?
6 Qu'est-ce que c'est un gratte-ciel?
7 Qu'est-ce que Camille va faire?
8 Qui prend le métro pour aller au collège?
9 Mehmet habite à Nanterre. Aime-t-il habiter à Nanterre? Pourquoi?

1d Qui parle? Aiment-ils habiter à Paris? (1–5)

2a Écris le texte de Karim.

2b Où habites-tu? C'est comment chez toi? Prépare et enregistre une présentation.

3a À deux. Qu'est-ce que vous allez faire?

Céline et Maurice vont passer une semaine à Paris.
Décidez ensemble où ils vont et ce qu'ils vont faire.

dimanche **lundi** **mardi** **mercredi** **jeudi** **vendredi** **samedi**

Ils vont aller/visiter/faire …

3b Imagine que tu as passé la semaine à Paris avec Céline et Maurice.

Où est-ce que vous êtes allés? C'était comment?
Exemple: *Lundi nous sommes allés … C'était …*

super · cool · génial · OK · pas mal · ennuyeux · fatigant

Chanson

Nous allons à Paris.
Nous partons vendredi.
J'y vais avec mon père
Pour mon anniversaire.
On va dans un hôtel
Près de la tour Eiffel.

Refrain

Paris, la Seine,
La tour Eiffel,
Paris, les Halles
Et Notre-Dame.

Je vais me promener,
Visiter les musées,
Acheter des chaussettes
Aux Galeries Lafayette
Et faire les magasins
À dix heures du matin.

Refrain

Je vais aller au Louvre
Au Centre Pompidou,
Et voir les monuments,
L'Arche de la Défense,
Le jardin des Tuileries
Et la rue de Rivoli.

Refrain

Je vais prendre le métro,
Faire un tour en bateau,
Manger dans un café
Sur les Champs Élysées,
Dans le quartier des Halles
Ou près de Notre-Dame.

Refrain

LIRE **1** **Recopie une ou deux lignes de la chanson pour chaque dessin.**

A

B

C

D

ÉCRIRE **2** **Recopie et complète le journal.**

C'est mon anniversaire et je suis à ________ avec mon ________. On est dans un ________ près de la ________ Eiffel. C'est super! Aujourd'hui, on a ________ dans un café sur les Champs Élysées et on a fait un tour en ________ sur la Seine. Demain, je ________ voir les monuments et je vais visiter les ________: le Louvre ou le Centre Pompidou. Je vais aussi faire les ________ et aller aux Galeries Lafayette.

Mots

Une invitation	***An invitation***
Cher/Chère …	*Dear …*
Je vais …	*I go …*
Nous allons …	*We go …*
On va …	*One goes …*
faire	*to do*
passer	*to spend*
prendre	*to take*
savoir	*to know*
venir	*to come*
Je veux voir …	*I want to see …*
Nous voulons voir …	*We want to see …*
arrivée	*arrival*
départ	*departure*
Comment y vas-tu?	*How are you going (there)?*
J'y vais …	*I'm going (there) …*
Nous y allons …	*We are going (there) …*
il/elle y va …	*he/she is going (there) …*
ils/elles y vont …	*they are going (there) …*
en avion	*by plane*
en bateau	*by boat*
en bus	*by bus*
en car	*by coach*
en métro	*on the metro*
en moto	*by motorbike*
en train	*by train*
en vélo	*by bike*
en voiture	*by car*
à pied	*on foot*
J'y vais avec …	*I'm going there with …*
Nous y allons avec …	*We are going (there) with …*
il/elle y va avec …	*he/she is going (there) with …*
ils/elles y vont avec …	*they are going (there) with …*
ma classe	*my class*
mes parents	*my parents*
mes copains	*my friends*
Vous y allez pour combien des temps?	*How long are you going there for?*
Nous y allons pour …	*We are going there for …*

À Paris	***In Paris***
On va voir les monuments.	*We're going to see the sights.*
Je vais aller …	*I'm going to go …*
à la gare du Nord	*to the Gare du Nord (main station for trains from the UK)*
à la tour Eiffel	*to the Eiffel Tower*
à l'Arc de triomphe	*to the Arc de Triomphe*
au musée du Louvre	*to the Louvre museum*
à la grande Arche de la Défense	*to the arch at La Défense*
aux grands magasins	*to the large department stores*
au Centre Pompidou	*to the Pompidou Centre (a library and cultural centre)*
au Sacré-Cœur	*to the cathedral of the Sacred Heart*
à l'avenue des Champs Élysées	*to the Champs Élysées*
à la Cité des Sciences et de l'Industrie	*to the Museum of Science and Industry*
à la Seine	*to the Seine (the river which runs through Paris)*
Quand?	*When?*
ce matin	*this morning*
cet après-midi	*this afternoon*
ce soir	*this evening*

Les dates	**Dates**
L'an …	*the year …*
mille cent quatre -vingts	*1180*
mille huit cent trente-six	*1836*
mille neuf cent soixante-dix-sept	*1977*
deux mille	*2000*
deux mille deux	*2002*

Prenez le métro	***Take the metro***
la ligne	*line*
la station de métro	*metro station*
direction …	*in the direction of …*
changez	*change*
descendez	*get off*
départ	*departure*
arrivée	*arrival*
un ticket	*ticket*
un carnet de tickets	*book of 10 tickets*

Où es-tu allé(e)?	***Where have you been?***
Je suis allé(e) …	*I went …*
nous sommes allé(e)s …	*We went …*
ils/elles sont allé(e)s …	*They went …*
Je suis arrivé(e) …	*I arrived …*
Je suis resté(e) …	*I stayed …*
Je suis rentré(e) …	*I went back/returned*
Je suis parti(e) …	*I left …*
il faut prendre…	*You have to take …*

Qu'est-ce que tu as fait?	***What did you do?***
J'ai acheté …	*I bought …*
nous avons acheté …	*We bought …*
ils/elles ont acheté …	*They bought …*
des cartes postales	*postcards*
des souvenirs	*souvenirs*
J'ai vu …	*I saw …*
la tour Eiffel	*the Eiffel tower*
les peintures	*the paintings*
les artistes de mime	*the mime artists*
les monuments	*the sights*
J'ai fait …	*I made/took …*
une excursion sur la Seine	*a trip on the Seine*
des photos	*some photos*
J'ai fait du shopping.	*I did some shopping.*

C'était …	*It was …*
super	*super*
génial	*great*
intéressant	*interesting*
fatigant	*tiring*
pas mal	*not bad*
ennuyeux	*boring*

MODULE 6 À NOUS LA FRANCE!

1 *Je voudrais faire …*

Choosing what you would like to do

LIRE **1a** **Qu'est-ce que tu voudrais faire? Range les activités A–F par ordre de préférence.**

Address:

Cliquez sur les activités sur lesquelles vous voulez vous informer:

A s'informer sur l'histoire de France

B s'informer sur le futur et les technologies

C aller à un centre aéré

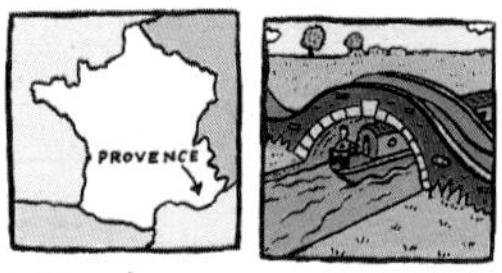

D visiter le pays

E apprendre un nouveau sport

F se perfectionner dans un sport

Channels / Favorites / History / Search

LIRE **1b** **Pour chacune des Catégories A–F trouve les deux textes.**

Exemple: A *1, 6*

1 Visitez le château de Versailles. À la découverte des siècles passés en vous promenant dans le plus beau château des rois de France …

2 Le Grand Bleu: Centre aéré à 100m de la plage; piscine, restaurant et snack-bar. Faites du sport ou reposez-vous.

3 Passez une journée à la Cité des Sciences et de l'Industrie. À la Villette, une balade dans le monde des technologies à travers des expositions et des activités interactives …

4 Vous êtes sportif/sportive? Vous voulez apprendre à faire du parapente? Il y a des cours de parapente pour les jeunes dans plusieurs centres d'animation.

5 Faites un tour de Provence à vélo. Pour découvrir la tranquillité de la Provence, prenez les petites routes de campagne …

6 Venez admirer les châteaux de la Loire. Si vous voulez mieux connaître la France et son histoire, venez admirer les châteaux de la Loire.

7 Les gorges du Torrent: centre aéré bien équipé avec des canoë-kayaks, piscine, terrain de volley-ball, terrain de foot, courts de tennis, salle de jeux, restaurant et bar.

8 Allez au Futuroscope … Le Futuroscope est tout à la fois une salle de cinéma multiple - Imax 3D, Kinémax, Omnimax - un parc d'attractions et une vitrine des technologies du futur.

9 Le cyclisme, c'est votre truc? Des cours de cyclisme sont organisés par plusieurs organisations. Vous partez à vélo avec un moniteur diplômé et il vous suit en voiture avec vos affaires.

10 Stage intermédiaire de tennis. Pour améliorer votre technique vous pouvez suivre un stage de tennis avec un joueur professionnel le matin, et faire une autre activité l'après-midi.

11 Entreprenez un voyage sur le canal du Midi. Pour mieux connaître la France on vous conseille un voyage en péniche sur le canal du Midi.

12 Pour apprendre à faire de la planche à voile en toute sécurité, contactez l'École de planche à voile française.

Le détective

How to say 'would' and 'could'

I would like	je voudrais; j'aimerais
I would prefer	je préférerais
I could	je pourrais

Je voudrais / préférerais / pourrais visiter/faire/aller/apprendre

Pour en savoir plus ➡ page 140, pt 24

ÉCOUTER **1c** **Qu'est-ce qu'ils voudraient faire? Écoute et note. (1–3)**

PARLER **1d** **Qu'est-ce que vous voudriez faire? Discutez.**

- Qu'est-ce que tu voudrais faire?
- Je voudrais (apprendre un nouveau sport).
- Tu pourrais faire (du parapente ou de la planche à voile). Qu'est-ce que tu préférerais?
- Je préférerais faire (du parapente). Et toi, qu'est-ce que tu voudrais faire?

ÉCRIRE **1e** **Qu'est-ce qu'ils voudraient faire?**

Exemple:
(Didier) voudrait (s'informer sur l'histoire de France …)
Il préférerait (visiter le château de Versailles).

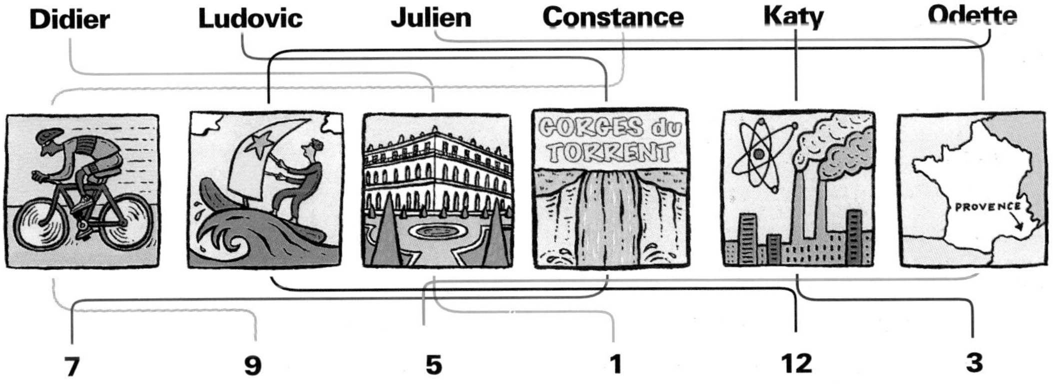

Et toi? Qu'est-ce que tu préférerais faire?
Je préférerais …

2 Choisis une auberge de jeunesse

Choosing a youth hostel

http://www.fuaj.org/aj/dieppe

L'Auberge

FUAJ – Fédération Unie des Auberges de Jeunesse

L'Auberge de Jeunesse est située sur les hauteurs de Dieppe, près du centre. Elle est installée dans une ancienne école, avec une cour dans laquelle plus aucune fin de récréation n'est sonnée mais où vous pourrez participer à nos soirées l'été!

Auberge de Jeunesse
48 rue Louis Fromager
76550 **St-Aubin sur Scie**

46 places

- Compris
- **Midi:** Réservation
  Soir: Réservation
- Réservation
- Accueil des familles
- Oui
- Location de linge
- Garage à vélos
- Parking
- Oui

Installations Prestations

- salle de 46 places
- barbecue
- cabine téléphonique à 50 m

A voir & faire

À Dieppe: cité de la mer, château musée, les falaises, le port. C'est le point de départ idéal pour découvrir la Normandie!

L'Auberge

Située à 10 minutes du tunnel sous la Manche, l'Auberge de Boulogne vous offre accueil et confort exceptionnels dans un environnement naturel préservé (plages, dunes, falaises ...). La mer et l'histoire s'y sont rencontrées. Le dôme de la cathédrale invite à découvrir la vieille ville et ses remparts séculaires. Le plus grand centre aquariologique d'Europe "NAUSICAA" a trouvé sa place dans le premier port de pêche français.

Auberge de Jeunesse
Place Rouget de Lisle
62200 **Boulogne sur Mer**

134 places

- Compris
- **Midi:** Réservation
  Soir: Réservation
- Réservation
- 2 ch. individuel ascenseur
- Accueil des familles
- Oui
- Compris
- Parking
- À proximité

Installations Prestations

- salle de restaurant de 50 places
- bar de 30 places avec terrasse privée
- TV avec magnétoscope et karaoké
- billard
- cabines téléphoniques à carte
- salle de convivialité de 40 places avec coin cuisine pour les individuels, ouvert toute la journée.

A voir & à faire

- "NAUSICAA", centre européen de la mer à 1 km
- Château-musée médiéval

1a LIRE **Copie at remplis la grille.**

	Dieppe	*Boulogne*
1 *sapins*		
2 *lits*		
3 *petit déjeuner*		
4 *repas midi*		
soir		
5 *adapté pour handicapé*		
6 *chambres pour familles*		
7 *panier-repas*		
8 *restaurant*		
9 *cuisine*		
10 *linge*		
11 *parking*		
12 *loc./gar. vélos*		
13 *laverie*		

1b PARLER **À deux. Vérifiez.**

- À Boulogne il y a … lits et à Dieppe il y a …
- Il y a … Il n'y a pas de …

1c PARLER **Choisissez une auberge.**

- Je préfère l'auberge de (Dieppe) parce que/qu'…
  … elle est plus/moins petite
  … il y a plus/moins d'installations
  … il y a plus d'attractions dans la région
  … c'est plus près du tunnel
  … on peut/on ne peut pas y acheter/manger/jouer/visiter …

1d ÉCRIRE **Fais un résumé. Donne cinq raisons pour ton choix.**
Nous avons choisi … parce que/qu'…

2a ÉCOUTER **Quelle auberge? Copie et remplis la grille. Quelle auberge choisissent-ils? Pourquoi?**

Centre de Rencontres	*Centre de Fontaines*

2b ÉCRIRE **Dessine une page Internet pour ton auberge idéale.**

3 *Faire une réservation*

Making a booking at a youth hostel

ÉCOUTER **1a** **Où vont-ils? Pour combien de temps? (1–4)**

	Auberge de jeunesse	*Nombre de …*				*heure d'arrivée*
		filles	*garçons*	*professeurs*	*nuits*	
1						

PARLER **1b** **Jeu de rôle. Au téléphone.**

- Bonjour monsieur/madame.
- Bonjour, je voudrais réserver des places. Avez-vous des places libres (du 13 au 20 août)?
- Vous êtes combien?
- Nous sommes (…) filles, (…) garçons et (…) professeurs.
- Vous voulez des chambres avec ou sans sanitaires?
- …
- Vous arrivez comment?
- Nous arrivons en (train/car/…).
- Vous arrivez à quelle heure?
- 

- Bon … places du … au … pour … filles et … garçons et … professeurs. Votre adresse?

> *When speaking to someone older than you, or to someone you don't know, use* **vous.**

Birmingham, le 26 mai

Madame, Monsieur

Nous voulons réserver vingt-cinq places pour dix filles, douze garçons et trois professeurs dans votre auberge de jeunesse pour cinq nuits, pour les nuits du 17 au 21 juillet.

Nous voudrions savoir si l'auberge de jeunesse est près de la gare, et s'il y a une piscine à proximité?

En vous remerciant, nous vous prions d'agréer, Madame, Monsieur, l'expression de nos salutations distinguées.

Jane Slade

ÉCRIRE 2 **Écris une lettre.**

PARLER 3 **Jeu de rôle. À la réception.**

- Bonsoir madame/monsieur.
- Bonsoir.
- Avez-vous des places pour ce soir?
- Avez-vous réservé?
- Oui/Non.
- Vous êtes combien de personnes?
- … garçons … filles.
- Vous restez combien de nuits?
- 
- Votre nom, s'il vous plaît.
- …
- Comment ça s'écrit?
- …
- Nationalité?
- (Britannique).
- Remplissez ce formulaire, s'il vous plaît.

Mini-test **I can …**

- say what I would like to do on holiday
- list the facilities at a youth hostel
- ask about and book accommodation

4 *Les instructions*

Understanding instructions

1 Défense d'entrer sans frapper.

2 Il est interdit de manger ou de boire dans les dortoirs.

3 Défense absolue de fumer dans le bâtiment.

4 La porte d'entrée sera fermée de 22h30 à 6h30.

5 La cuisine sera fermée de 21h00 à 6h00.

6 Pour utiliser le distributeur de boissons il faut demander un jeton au responsable de l'accueil.

7 Si vous désirez un panier-repas, commandez-le la veille avant 17h00 auprès du responsable des cuisines.

8 En cas d'incendie quittez le bâtiment par la sortie de secours la plus proche et dirigez-vous vers le point de rassemblement.

9 En cas d'accident faites-le savoir immédiatement au responsable de l'accueil.

10 Vous êtes priés de vous présenter à l'heure pour les repas.

11 Ne pas laisser les vélos/VTT/planches à l'entrée, les ranger dans l'abri prévu à cet effet.

12 Ne pas laisser traîner de maillots ou autres vêtements/équipement mouillés dans les sanitaires; les faire sécher dehors sur l'étendage.

sera fermée	*will be closed*
jeton	*token*
l'étendage	*washing line*

What are the words that you need to know?
What words can you guess the meaning of?
Do you need to know any others to match the signs to the pictures?

LIRE **1a** Fais correspondre les textes et les images.

ÉCOUTER **1b** C'est quelle image? (1–12)

ÉCRIRE **1c** Fais une liste d'instructions pour ta chambre.

Défense de/d' ...	**entrer/faire**
Vous êtes priés de ...	**quitter/laisser**
Il est interdit de/d' ...	**utiliser/fumer**
Ne pas ...	**boire/manger**

5 *J'ai fait un stage …*

Talking about where you have been and what you have done

Au mois de juin, je suis allé faire un stage de planche à voile pendant une semaine sur le lac d'Annecy avec Thomas mon frère aîné. Nous sommes restés dans une auberge de jeunesse, qui est à deux minutes du lac. C'était vraiment super!

Nous sommes arrivés le samedi après-midi. Il y avait vingt personnes en tout, douze garçons et huit filles. Le soir on nous a expliqué les règles et nous avons joué aux cartes ou aux jeux de société pour apprendre à se connaître un peu.

Dimanche matin nous avons fait un test de natation. Il faisait un peu froid et nous avons porté une combinaison de plongée! L'après-midi nous avons eu notre première leçon sur la planche. On nous a partagé en deux groupes. Les débutants, comme moi, et les plus expérimentés, comme mon frère. Au début je suis tombé plusieurs fois à l'eau. C'était fatigant.

Lundi c'est allé beaucoup mieux. Il y avait du vent mais j'ai réussi à tourner la planche et traverser le lac sans tomber. À midi nous avons mangé dehors, au bord du lac. Le soir nous avons fait un feu et nous avons chanté et raconté des histoires de fantômes.

Mardi nous avons fait de la planche le matin et l'après-midi on a fait de la voile. Il faisait gris et il y avait un peu de vent qui est bon pour la voile!

Mercredi nous sommes allés faire un tour commenté de la ville. Après le tour nous sommes restés en ville pour manger au snack et acheter des souvenirs. C'est une très jolie ville. Il faisait très chaud et le soir nous avons nagé dans le lac.

Jeudi nous avons fait du canoë-kayak. Nous avons emporté le pique-nique et nous sommes restés sur le lac toute la journée.

Vendredi il faisait encore beau et chaud, mais peu de vent! Nous sommes montés dans le bus et nous sommes allés faire du rafting. On descend une rivière en canot pneumatique. Il y avait beaucoup d'eau dans la rivière et c'était un peu dangereux. On nous a partagé en quatre équipes pour faire la descente et Thomas a bu la tasse! Il n'a pas aimé ça!

Samedi, hélas, nous avons dû rentrer à la maison! C'était super et j'ai beaucoup de nouveaux amis!

Nicolas

LIRE **1a** **Lis. Copie et remplis l'agenda de Nicolas.**

tomber *to fall*
boire la tasse *to swallow a lot of water*

samedi H
dimanche
lundi
…

A 
B 
C 
D 
E 
F 
G 

H 
I 

1b Trouve et copie les mots qui indiquent …

- **a** où Nicolas est allé en vacances
- **b** combien de temps il y a passé
- **c** avec qui Nicolas est allé en vacances
- **d** où se trouve l'auberge
- **e** ce qu'il a porté pour faire de la planche
- **f** les personnes qui commencent à apprendre à faire de la planche
- **g** les personnes qui ont déjà fait de la planche
- **h** un bateau en caoutchouc
- **i** trois activités sportives que Nicolas a faites
- **j** trois autres activités mentionnées

1c Nicolas et Thomas. Qu'est-ce qu'ils ont aimé et qu'est-ce qu'ils n'ont pas aimé?

Rappel Le passé composé – the perfect tense

verbs with être		verbs with avoir	
je suis allé(e)	nous sommes allé(e)s	j'ai fait	nous avons fait
tu es allé(e)	vous êtes allé(e)s	tu as fait	vous avez fait
Il/elle est alle(é)	ils/elles sont allé(e)s	il/elle a fait	ils/elles ont fait

2a Fais une interview.

- Où es-tu allé(e)?
- Je suis allé(e) …

- Qu'est-ce que tu as fait?
- J'ai …

- C'était comment?
- C'était fantastique/hyper-classe/super/génial/ennuyeux/nul.

2b Écris une lettre à ton/ta correspondant(e) et raconte-lui où tu es allé(e) en vacances et ce que tu as fait.

Try and include some of these useful words to make your letter more interesting:
puis, ensuite, mais, et,
le matin, le soir, l'après-midi

Bilan et Contrôle révision

I can …	
● *say what I would like to do in France …*	Je voudrais/j'aimerais m'informer (sur le futur et les technologies)
● *… and what I would prefer to do*	Je préférerais aller à un centre aéré/visiter les monuments
● *say what I could do in France*	Je pourrais apprendre (me perfectionner dans) un sport
I can …	
● *list the facilities at a youth hostel*	Il y a un restaurant, un bar, une salle de jeux, une salle TV, une cabine téléphonique, un parking pour bus, une laverie …
● *say why I prefer something*	Je préfère … parce que …
● *ask about and book accommodation*	Bonjour monsieur/madame. Bonjour, je voudrais réserver des places. Avez-vous des places libres du … au …? Vous êtes combien? Nous sommes … filles, … garçons et … professeurs. Vous voulez des chambres avec ou sans sanitaires? Vous arrivez comment? Nous arrivons en … Vous arrivez à quelle heure? À … Votre adresse? C'est loin/près (de la gare)?
● *understand signs*	Défense de …, Il est interdit de …
● *say where I have been and what I have done*	Je suis allé(e) … J'ai fait du canoë-kayak/de l'escalade/du parapente/du VTT
● *say whether I had a good time*	C'était vraiment super! C'était fatigant! C'était fantastique, hyper-classe, super, génial, ennuyeux, nul

ÉCOUTER **1** **Sandrine: où est-elle allée? Qu'est-ce qu'elle a fait?**

		lundi	*mardi*	*mercredi*	*jeudi*	*vendredi*
1	***Où est-elle allée?***					
2	***Qu'est-qu'elle a fait?***					
3	***C'était comment?***					

PARLER 2 **Choisis où tu es allé(e) et ce que tu as fait. Interviewe ton/ta partenaire et note ses réponses.**

Exemple:

- Lundi: où es-tu allé(e)? Je suis allé(e) …
- Qu'est-ce que tu as fait? J'ai …
- C'était comment? C'était …

LIRE 3 **Lis et choisis les images qui correspondent.**

Où est-on allé?

A  B  C  D 

Qu'est-ce qu'on a fait?

E  F  G  H  I 

J  K  L  M  N 

C'était comment?

O  P  Q 

		lundi	*mardi*	*mercredi*	*jeudi*	*vendredi*
1	*Où est-il allé?*					
2	*Qu'est-qu'il a fait?*					
3	*C'était comment?*					

Lundi: Nous avons fait le tour de la ville. Nous avons fait du shopping et puis nous sommes allés au cinéma. C'était ennuyeux. Je me suis fait une nouvelle petite amie, qui s'appellait Lucille. C'était super.

Mardi: J'ai fait mon premier cours de planche à voile sur le lac. C'était très difficile et je suis souvent tombé à l'eau. Lucille et son frère François se sont moqués de moi. C'était horrible! Le soir j'ai fait du skate avec mes copains.

Mercredi: D'abord nous avons nagé et puis nous avons pique-niqué au bord du lac. François at Lucille ont fait de la planche. Ils sont tombés à l'eau. J'ai bien rigolé … c'était amusant.

Jeudi: Nous avons fait de l'équitation. Nous sommes allés faire une balade dans la forêt. Mon cheval était très grand et c'était vraiment génial, mais le lendemain j'ai eu mal aux fesses. Le soir on a mangé au Quick.

Vendredi: J'ai fait de la planche avec Lucille. Le soir nous avons fait un barbecue au bord du lac. C'était super.

Benjamin

ÉCRIRE 4 **Tu as fait un stage avec Benjamin. Écris ton journal!**

EN PLUS *Tour de France*

Calais
Tu veux acheter un pique-nique.
Qu'est-ce que tu dis?

FEDERATION UNIE DES AUBERGES DE JEUNESSE
?

Boulogne
Tu cherches où passer la nuit.
Qu'est-ce que tu dis?

Aladin

Nantes
Tu vas au cinéma.
Qu'est-ce que tu vas voir?
C'est quelle sorte de film? C'est comment?

Poitiers
Quel temps fait-il?
Où vas-tu?
C'est comment?

Bordeaux
Qu'est-ce que tu fais?
C'est comment?

Toulouse
Tu arrives chez ton correspondant.
Présente 'ta' famille à ton correspondant.
C'est mon grand-père, il s'appelle …

Écris ton journal.
Qu'est-ce que tu as fait en France?
Je suis arrivé(e) à Calais et j'ai ...
Il faisait beau/chaud.
Il pleuvait.
C'était super.

Tu rentres en Angleterre.
Comment fais-tu le voyage?

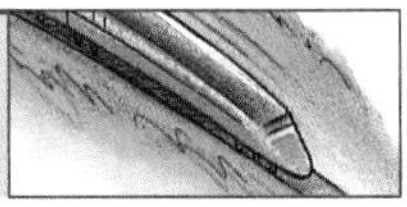

Paris
Que fais-tu?

Le déjeuner
Qu'est-ce que tu manges?
Qu'est-ce que tu bois?

Les Alpes
Que fais-tu?

Provence
Quel temps fait-il?
Que fais-tu?
C'est comment?

Marseille
Quel temps fait-il?
Que fais-tu?
C'est comment?

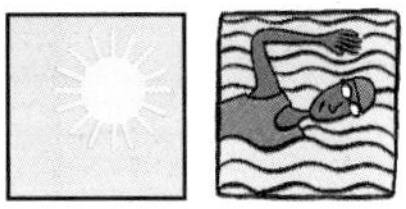

LIRE 1a **Lis et note les phrases qui te vont.**

Exemple:

A1: *Tu restes allongé(e) sous le parasol sur la plage.*

✓*(Oui, c'est moi!)* ✗*(Non, ce n'est pas moi, je préfère faire quelque chose.)*

A2 ...

LIRE 1b **Quel est ton genre de vacances?**

Si tu as coché un maximum de 'A' tu préfères les vacances détente, et pourquoi pas? Tu as bien travaillé cette année!

Si tu as coché un maximum de 'B' tu as un esprit curieux et tu veux t'intégrer vraiment dans ton environnement.

Si tu as coché un maximum de 'C' pratiquer un sport pour toi, c'est découvrir jusqu'où tu peux aller.

ÉCRIRE 1c **Complète le Quiz test! Fais une liste de six phrases pour ceux qui n'aiment pas partir en vacances.**

Exemple:

D

1 *Tu détestes les longs voyages en voiture.*

Qui es-tu en vacances?

vacances-détente
vacances-aventures
vacances-découvertes

A

1 Tu restes allongé(e) sous le parasol sur la plage.
2 Tu regardes les autres.
3 Tu ne veux pas de sable sur ta serviette.
4 Tu ne veux pas mouiller ton maillot.
5 Tu te mets régulièrement de la crème solaire.
6 Tu te lèves seulement pour aller acheter une boisson fraîche.

B

1 Tu achètes un guide de la région.
2 Tu vas au syndicat d'initiative.
3 Tu veux t'informer sur les coutumes et les fêtes locales.
4 Tu t'informes sur ce qui passe au cinéma.
5 Tu cherches toujours à prendre les vieilles rues.
6 Tu ne peux pas passer devant un musée sans y entrer.

C

1 Tu plonges du plus haut plongeoir à la piscine.
2 Tu fais une première descente en parapente.
3 Tu es le premier au mur d'escalade pour tester le meilleur chemin.
4 Tu loues un VTT pour faire une balade en haute montagne.
5 Tu mets ton sac à dos, prends ton sac de couchage et tu t'en vas à l'aventure.
6 Tu veux sauter à l'élastique du funiculaire.

D

1 ...
2 ...

Chanson

J'ai passé de super vacances
Dans le sud-est de la France.
Je suis allée à la montagne
Pour faire un stage d'escalade.
À l'auberge de jeunesse
J'ai rencontré Raphaël.

Refrain

À la campagne
Ou la montagne
À la mer ou en ville,
Avec un bon copain
Ou une bonne copine.
Les vacances, moi j'aime bien.

Après le petit déjeuner
On a beaucoup discuté,
Écouté de la musique,
Et préparé un pique-nique.
On a loué des VTT
Et fait de belles randonnées.

Refrain

Je pense aux prochaines vacances.
Je ne veux pas rester en France.
Je veux aller voir Raphaël.
Il habite près de Bruxelles.
On pourrait faire des balades
En péniche ou à cheval.

Refrain

LIRE 1 **Vrai ou faux? Corrige les phrases qui sont fausses.**

1 Raphaël habite dans le sud-est de la France.
2 Il a passé ses vacances près de Bruxelles.
3 Il a fait un stage d'escalade.
4 À l'auberge de jeunesse, il a écouté de la musique.
5 Il a loué un VTT pour faire des randonnées.
6 Il a aussi fait des balades à cheval.

Mots

Qu'est-ce que tu voudrais faire?	***What would you like to do?***
l'ordinateur	*computer*
taper	*to type in*
cliquer sur	*to click on*
Je voudrais …	*I would like …*
J'aimerais …	*I would like …*
Je préférerais …	*I would prefer …*
Je pourrais …	*I could …*
visiter	*to visit*
faire	*to do*
aller	*to go*
apprendre	*to learn*
faire un tour	*to go on a tour*
faire un voyage	*to go on a journey*
faire un stage	*to go on a course*
faire une visite	*to go on a visit*
Je voudrais aller à …	*I would like to go to …*
un château	*a castle*
un centre aéré	*an outdoor centre*
une auberge de jeunesse	*a youth hostel*
Je voudrais …	*I would like …*
améliorer	*to improve*
apprendre	*to learn*
connaître	*to get to know*
contacter	*to contact/get in touch with*
découvrir	*to discover*
entreprendre	*to undertake*
partir	*to set off/depart*
perfectionner	*to perfect, improve*
pratiquer	*to do/carry out*
suivre	*to follow*
s'entraîner	*to practise/train*
Je voudrais m'entraîner	*I would like to practise/ train*
s'informer sur	*to find out about*
Je voudrais m'informer sur …	*I'm going to find out about …*

À l' auberge de jeunesse	***At the youth hostel***
Nous sommes …	*We are …*
garçon(s)	*boy(s)*
fille(s)	*girl(s)*
professeur(s)	*teacher(s)*
choisir	*to choose*
il y a	*there is/are*
il n'y a pas de	*there isn't/aren't*
la cabine téléphonique	*public telephone*
la chambre	*bedroom*
la cuisine	*kitchen*
la laverie	*laundry*
le linge	*linen*
le lit	*bed*
la location de vélos	*bicycle hire*
le magasin	*shop*
le parking	*parking*
le petit déjeuner	*breakfast*
le repas	*meal*
le restaurant	*restaurant*
les sanitaires	*wash rooms*
la salle de jeux	*games room*
le sapin	*fir tree*
Je voudrais réserver des places.	*I would like to reserve some rooms.*
Avez-vous des places libres du … au …?	*Have you got rooms from the … to the …?*
Vous êtes combien?	*How many of you are there?*
Nous sommes … filles, … garçons et … professeurs.	*There are … girls, … boys and … teachers.*
Avec ou sans sanitaires?	*With or without a bathroom?*
Vous arrivez comment?	*How are you arriving?*
Nous arrivons en…	*We will arrive by …*
Vous arrivez à quelle heure?	*What time will you arrive?*

Les instructions	***Instructions***
Défense de …	*It is forbidden to …*
Il est interdit de …	*You must not …*
Vous êtes priés de …	*You are asked to …*
Ne pas laisser/manger …	*Don't leave/eat …*
boire	*to drink*
entrer	*to enter*
fermer	*to shut*
frapper	*to knock*
fumer	*to smoke*
manger	*to eat*
ouvrir	*to open*
rentrer	*to return*
sortir	*to go out*
quitter	*to leave*
utiliser	*to use*

Les activités	***Activities***
le canoë-kayak	*canoeing*
l'équitation	*horse riding*
l'escalade	*climbing*
la natation	*swimming*
le parapente	*para-gliding*
la planche à voile	*wind surfing*
le rafting	*rafting*
le VTT	*mountain biking*

Où es-tu allé(e)?	***Where did you go?***
Je suis allé(e) …	*I went …*
Qu'est-ce que tu as fait?	*What did you do?*
J'ai fait de l'escalade.	*I went climbing.*
J'ai fait du VTT.	*I went mountain biking.*
C'était comment?	*How was it?/What was it like?*
C'était …	*It was …*

Quel temps faisait-il?	***What was the weather like?***
Il faisait beau.	*It was nice.*
Il faisait (très) chaud.	*It was (very) hot.*
Il faisait froid.	*It was cold.*
Il faisait gris.	*It was cloudy (grey).*
Il y avait un orage.	*There was a storm.*
Il y avait du soleil.	*It was sunny.*
Il y avait du vent.	*It was windy.*
Il pleuvait.	*It was raining.*

MODULE 1 SALUT!

À toi! A

LIRE

1 C'est quel jour?

La semaine dernière:
Lundi, je suis allé à la piscine et j'ai nagé.
Mardi, je suis allé chez ma copine et j'ai écouté de la musique.
Mercredi, je suis allé au parc et j'ai fait du roller.
Jeudi, je suis allé au cinéma et j'ai vu un film.
Vendredi, je suis allé chez Denis et j'ai joué aux cartes.
Samedi, je suis allé en ville et j'ai fait du shopping.
Dimanche, je suis resté à la maison et j'ai regardé la télé
Sébastien

ÉCRIRE

2 Ta semaine. Où es-tu allé(e)? Qu'est-ce que tu as fait?

Exemple: *Lundi, je suis allé(e) … et j'ai acheté …*

ÉCRIRE

3 Raphaël et Sandrine se présentent. Que disent-ils?

À toi! B

Je m'appelle Julien. J'ai douze ans et j'habite à Paris. Cette année je suis allé à Nice avec mon père pour célébrer Mardi gras. Nous sommes allés chez mon cousin Laurent. Il habite une ancienne ferme, dans un petit village près de Nice. C'est la ferme de mes grands-parents paternels.

Chaque année, au mois de février il y a un grand carnaval à Nice. Le carnaval dure douze jours et finit le Mardi gras avec la fameuse Bataille de Fleurs. Il y a un grand défilé avec beaucoup de chars. Cette année j'ai accompagné mon père, Laurent et son père sur notre char. J'ai porté le costume traditionnel, une chemise blanche, une cravate rouge et un pantalon noir.

Le matin j'ai aidé à préparer le char. L'après-midi je suis allé en ville avec Laurent, mon père, mon oncle et mon grand-père. Nous avons fait le défilé sur le char et nous avons lancé des fleurs aux spectateurs.

Après le défilé nous sommes rentrés à la maison. Ma tante et ma grand-mère ont préparé un énorme repas. Après le repas mon père a joué de l'accordéon et nous avons chanté et dansé, et puis nous avons regardé le feu d'artifice. J'adore le carnaval!

LIRE **1a** **Lis et comprends.**

Cherche les mots:
les parents de son père
une fête
le mardi où on célèbre la fête des Fleurs à Nice
une procession
un véhicule dans la procession
un instrument de musique

Bataille de Fleurs	*battle of flowers*
nous avons lancé	*we threw*
feu d'artifice	*fireworks*

LIRE **1b** **Lis et réponds.**

1 Julien a quel âge?
2 Où habite-il?
3 Qu'est-ce qu'il a fait le Mardi gras dernier?
4 Qu'est-ce qu'il a porté?
5 Qui a préparé le repas?
6 Qui a joué de l'accordéon?

ÉCRIRE **2** **Une fête (vraie ou imaginaire). Écris un rapport.**

Je	suis	allé(e) à …
J' Ma mère Mon père Nous	ai a a avons	préparé/porté/mangé/joué/ chanté/dansé/bu/vu

MODULE 2 MA VIE

À toi! A

1 Il est quelle heure? Que fait Nicolas?

LIRE

Exemple: *Il est (six heures quarante-cinq). Il (se réveille).*

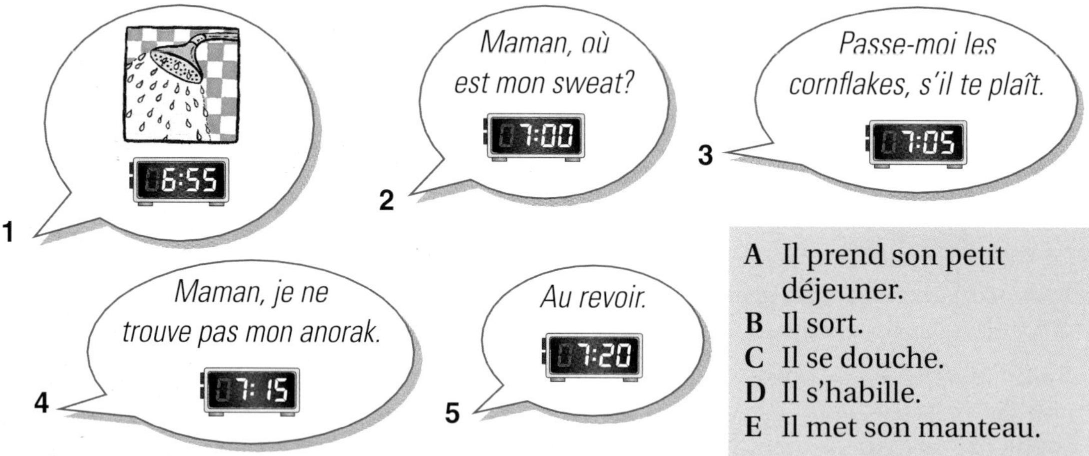

A Il prend son petit déjeuner.
B Il sort.
C Il se douche.
D Il s'habille.
E Il met son manteau.

2 Où est-ce qu'on pourrait aller ce soir?

LIRE

1 On pourrait voir un film.
2 On pourrait écouter de la musique rap.
3 On pourrait jouer aux cartes avec Céline.
4 On pourrait nager.
5 On pourrait manger un burger.
6 On pourrait jouer au basket.

3 Que font-ils?

ÉCRIRE

Exemple: *Lucille fait …*

Lucille
Marc et Thierry
Corinne et Anne-Laure
Jabel
Aurélie
Loïc

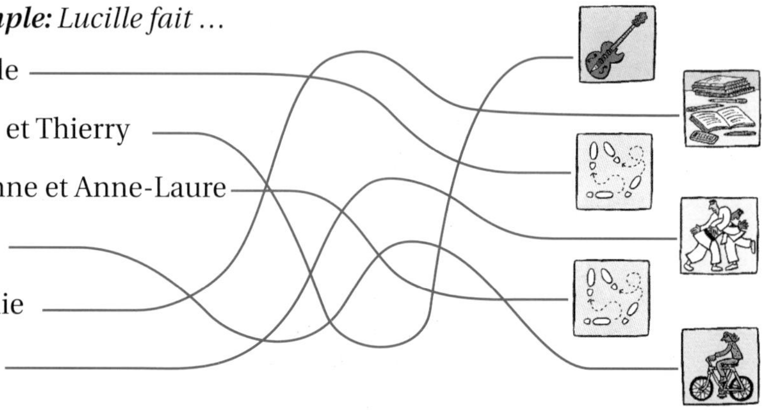

À toi! B

La journée d'un disc-jockey

SAMEDI je me réveille à quatre heures cinquante et je me lève à cinq heures pour aller au studio. Le taxi arrive à cinq heures et demie et j'arrive au studio à six heures moins dix. Je dis «Bonjour» à mes collègues et je bois un café pour me réveiller. À six heures je commence à travailler. Je lis mes messages et je prépare mes disques. À six heures trente je vais en direct. Je dis «Bonjour» aux écouteurs et je passe mes premiers messages: «Bon anniversaire» à Marcel un tel et «Félicitations» à Julie, etc. À dix heures je fais une pause de deux heures et je recommence à midi. Je finis à quinze heures et je range mes affaires. Puis je rentre à la maison et je regarde la télévision. Je me couche à vingt heures. J'aime bien mon travail – mais c'est fatigant!

LIRE **1a** **Lis et réponds: Qu'est-ce qu'il se passe?**

Exemple: *À 4h50 il se réveille.*

en direct	*on air*
Marcel un tel	*Marcel somebody*

5:00 5:30 5:50 6:00 6:30 10:00 12:00 15:00 20:00

ÉCRIRE **1b** **Tu as travaillé dans un studio. Qu'est-ce que tu as fait? Trouve les paires.**

Je suis allé(e) …	«Bonjour» à mes collègues.
Le taxi est arrivé …	mes messages.
J'ai dit …	à quinze heures.
J'ai bu …	au studio samedi matin.
J'ai préparé …	un café.
J'ai lu	«Bon anniversaire» à Christophe.
J'ai passé …	à quatorze heures.
J'ai dit …	un disque.
J'ai fini …	mes disques.
J'ai rangé …	à huit heures.
Je suis rentré(e) …	mes affaires.

MODULE 3 FAMILLE ET COPAINS

À toi! A

LIRE 1 **Trouve l'image qui correspond.**

1 bavard(e)
2 courageux(euse)
3 marrant(e)
4 meilleur(e) chanteur(euse)
5 paresseux(euse)
6 sportif(ive)
7 timide

LIRE 2a **Ma classe. Lis et trouve. Qui est-ce?**

Raphaël est le plus sportif.
Jamel est le plus timide.
Julia est la plus sportive.
Gwenaëlle est la meilleure chanteuse.
Sébastien est le plus paresseux.
Audrey est la plus marrante.
Sylvain est le plus courageux.
Claire est la plus paresseuse.
Emmanuelle est la plus bavarde.
Yann est le plus bavard.

ÉCRIRE 2b **Range les copains par ordre de grandeur. Écris une phrase sur chacun(e).**

Exemple:

(Julia) est la plus petite.
(Sébastien) est plus grand que (Sylvain) et plus petit que (Audrey).

…	est le plus grand/petit
	est la plus grande/petite
	est plus grand(e) que/qu' …
	est plus petit(e) que/qu' …

À toi! B

ancien	*very old*
sauge	*sage*

Je collectionne des modèles de voitures Formule 1. J'en ai douze. Ma voiture préférée c'est la Ferrari. Je la préfère parce que j'aime le rouge, c'est ma couleur préférée, et c'est la voiture la plus rapide. J'ai aussi une Maserati noire et une Lotus blanche.
Florent

Je collectionne des livres de cuisine. J'en ai quinze. Mon livre préféré c'est un livre de mon arrière-grand-mère qui habite en Alsace. Je le préfère parce que c'est le livre le plus ancien et le plus intéressant. Il y a une recette qui commence comme ça: Prenez cinq lapins, un bouquet de sauge …, etc.
Camille

LIRE **1a** **Lis et trouve.**

Florent

1 Qu'est-ce qu'il collectionne?

2 Quelle est la voiture préférée de Florent?

3 Pourquoi?
Il la préfère parce que …

Camille

1 Qu'est-ce qu'elle collectionne?

2 Quel est le livre préféré de Camille?

3 Pourquoi?
Elle le préfère parce que …

ECRIRE **1b** **Et toi? Qu'est-ce que tu collectionnes?**

ECRIRE **2a** **Trouve le pull/la veste …**

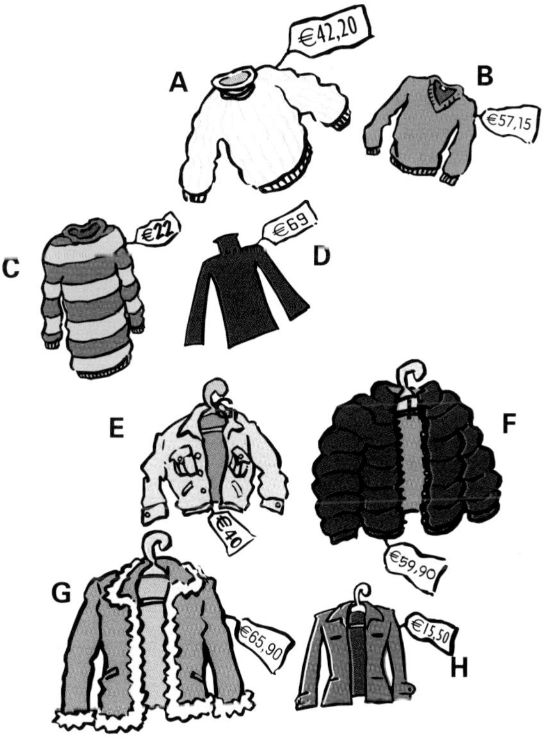

le plus grand/la plus grande
le plus petit/la plus petite
le plus cher/la plus chère
le moins cher/la moins chère
le plus à la mode/la plus à la mode

Exemple:
A, c'est le plus (grand).

ECRIRE **2b** **Qu'est-ce que tu préfères? Pourquoi?**

Je préfère le/la …
Je le/la préfère parce qu'il/elle …

MODULE 4 À TABLE!

À toi! A

À midi, je rentre à la maison. **Lundi**, nous mangeons de la salade, des pâtes comme par exemple des lasagnes, et un fruit.
Mardi, maman prépare une soupe. Nous mangeons de la soupe, du pain, du jambon, du fromage et un yaourt.
Mercredi, je vais au club des jeunes et à midi je mange un sandwich au bar.
Jeudi, c'est mon père qui prépare le repas. Nous avons une pizza surgelée et des glaces comme dessert.
Vendredi, c'est toujours du poisson. On commence avec une salade de tomates et puis comme dessert il y a un gâteau.
Samedi, je vais en ville et je mange au Quick. Je mange un burger et des frites.
Dimanche, on va chez grand-mère et on mange un grand repas avec de la viande et des légumes, et comme dessert une tarte aux fruits.

LIRE **1a** **C'est quel jour?**

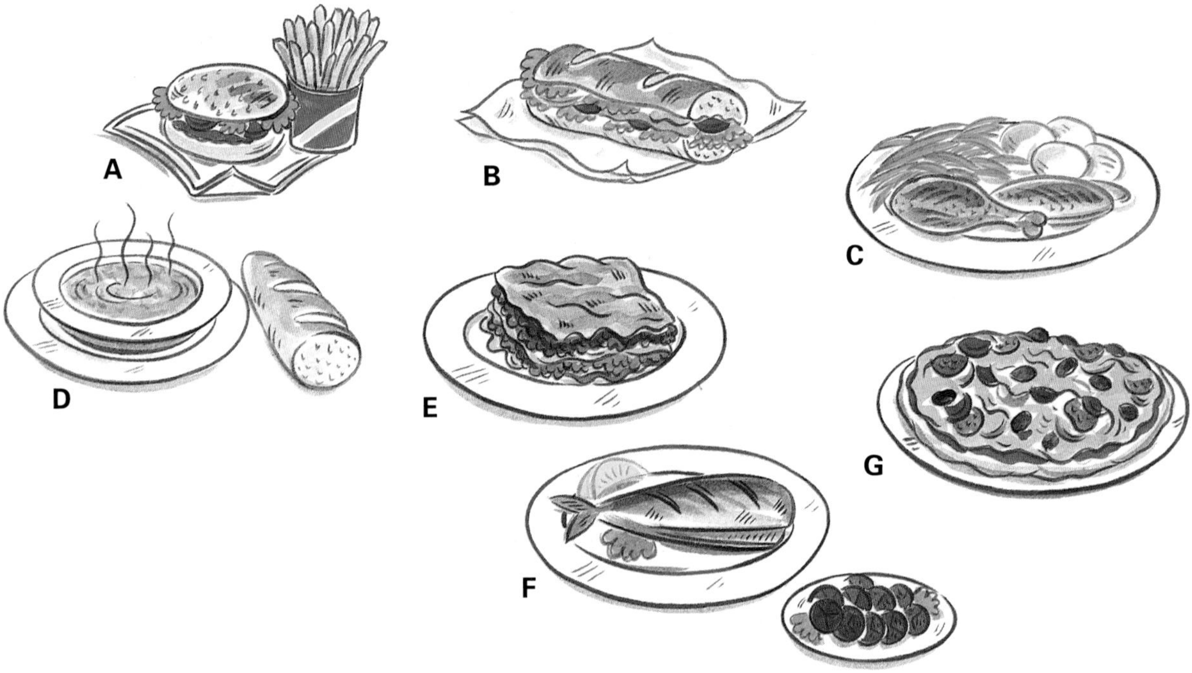

ÉCRIRE **1b** **Fais une liste de ses menus.**

Exemple:

Lundi: salade; lasagnes; pomme.

ÉCRIRE **1c** **Invente un menu pour toi.**

À toi! B

Je suis provençal. J'habite en Provence. Nous habitons une ferme à la campagne, mais nous n'avons pas d'animaux: nous avons des arbres fruitiers. Mes grands-parents vendent nos produits au marché: des pommes, des poires, des pêches, des abricots, des melons, des noix, de la salade et des tomates.

Ce que j'aime, c'est Noël. C'est la plus grande fête de l'année. Traditionnellement le soir du réveillon, (le soir du 24 décembre) on a treize desserts. Ils sont: de la pomme, de la poire, du melon vert, du raisin frais, des sorbes (les fruits du sorbier), du nougat blanc, du nougat noir, des figues sèches, des raisins secs, des amandes, des noix, des noisettes et des galettes. Une galette est une sorte de gâteau. Mais mon plat préféré, c'est le steak-frites, et mon fruit préféré c'est la pêche!

Quel âge as-tu? Où habites-tu? Qu'est-ce que tu aimes comme fruit? Manges-tu les noix et les noisettes? Quel est ton plat préféré?

Jean-Louis

sorbier *rowan tree*

des amandes

des noix

des noisettes

des figues sèches

LIRE **1a** **Lis et choisis la réponse qui correspond.**

1 La Provence est
- un village.
- une région de France.
- un pays européen.

2 Provençal est
- quelqu'un qui vient de Provence.
- quelqu'un qui habite à la campagne.
- une marque de voiture.

3 Noël est
- le nom d'une ville en France.
- le nom du frère de Jean-Louis.
- le nom d'une fête.

4 Le réveillon est
- une marque de maquillage.
- le jour avant Noël.
- le moment où on se réveille.

5 La sorbe est
- une sorte de glace.
- une personne qui habite en Sorbie.
- un fruit.

6 Une galette est
- une personne qui habite au pays de Galles.
- un dessert.
- un instrument de musique.

ÉCRIRE **1b** **Écris une réponse à Jean-Louis.**

MODULE 5 UNE SEMAINE À PARIS

À toi! A

LIRE 1a Où sont-ils allés? C'est quel monument? Trouve l'image qui correspond.

1 *C'est très haut et la vue est magnifique. J'ai vu les Champs Élysées du haut de la tour.*

2 *Il y a beaucoup de peintures célèbres. J'ai vu la Joconde de Léonard de Vinci.*

3 *La cathédrale se trouve sur l'Île de la Cité et j'ai vu les bateaux sur la Seine.*

4 *Nous y sommes arrivés à 16h30, directement de Londres et j'ai vu mon correspondant pour la première fois.*

5 *Nous avons fait du shopping dans les grands magasins. J'ai acheté des souvenirs.*

6 *C'est un monument pour célébrer les victoires de Napoléon. J'ai acheté une carte postale.*

7 *Il y avait des artistes de mime sur la place devant le bâtiment et j'ai fait des photos.*

ECRIRE 1b Où sont-ils allé(e)s? Qu'est-ce qu'ils ont vu? Qu'est-ce qu'ils ont fait?

Il/Elle est allé(e) …
Il/Elle a acheté/vu/fait …

au Centre Pompidou
à la gare du Nord
à la cathédrale Notre-Dame
à l'Arc de triomphe
au Louvre
aux Halles
à la tour Eiffel

À toi! B

Ils vont à Paris …

Je vais passer une semaine à Paris. J'y vais avec ma sœur. Nous allons voir son amie qui travaille à Paris. Nous prenons le train, l'Eurostar, parce que c'est pratique.
Nathaniel

Je vais à Paris. Je vais y passer trois jours. Je vais visiter le Parc Disneyland avec ma classe. On y va en car. Je n'aime pas voyager en car, c'est ennuyeux.
Justin

Je vais à Paris vendredi prochain pour faire du shopping. J'y vais toute seule et je prends l'avion parce que c'est plus rapide.
Jane Fraser

Je vais à Paris avec mes parents. Nous partons lundi matin et nous rentrons vendredi soir. Nous allons voir les monuments et je vais visiter quelques musées. Nous y allons en voiture et nous prenons le Shuttle pour passer sous la Manche parce que c'est plus confortable.
Catherine

LIRE 1 **Copie et remplis la grille. Ils vont à Paris …**

1 Pour combien de temps?

a
b
c
d 

2 Avec qui?

a 
b 
c 
d 

3 Comment?

a 
b 
c 
d 

4 Où vont-ils aller?

a 
b 
c 
d 

5 C'est comment?

a confortable b pratique c ennuyeux d rapide

	Pour combien de temps?	Avec qui?	Comment?	Où vont-ils aller?	C'est comment?
Nathaniel					
Jane Fraser					

ÉCRIRE 2 **Tu vas à Paris. Choisis:**

Pour combien de temps?	*J'y vais …*
Avec qui?	*Avec mon/ma/mes …*
Quel moyen de transport?	*J'y vais en …*
Qu'est-ce que tu vas faire?	*Je vais aller/visiter …*

MODULE 6 À NOUS LA FRANCE!

À toi! A

1a Qu'est-ce qu'ils ont choisi?

Exemple: Pierre, C

A s'informer sur l'histoire de France

B s'informer sur le futur et les technologies

C aller à un centre aéré

D visiter le pays

E apprendre un nouveau sport (parapente, plongée)

F se perfectionner dans un sport (tennis, cyclisme)

1 *Mon frère et moi, nous sommes allés au Centre des Glaciers. Nous avons fait des randonnées et nous avons joué au tennis. C'était génial.* ***Pierre***

2 *Je suis allé à Bois le Roi, près de Fontainebleau pour faire un stage de tennis. Nous avons fait quatre heures d'entraînement par jour et l'entraîneur a fait une vidéo pour analyser notre style! J'ai fait beaucoup de progrès, mais c'était fatigant.* ***Hervé***

3 *Nous sommes allés à Fontainebleau et nous avons visité le château de François 1er. C'était intéressant.* ***Charlotte***

4 *Nous avons fait un tour de Normandie en vélo. Nous sommes partis de Bayeux et nous avons passé les nuits dans des auberges de jeunesse. C'était super.* ***Cathy***

5 *Ce que j'ai aimé le mieux à Futuroscope c'était le film IMAX sur le vol de la navette Challenger dans l'espace. La terre est petite, bleue et jolie vue de la navette! C'était vraiment cool!* ***Thierry***

6 *Je suis allée faire un stage de parapente. Le centre se trouve à la Roque-Esclapon. Le soir nous avons fait du VTT et nous avons joué au tennis. C'était fantastique.* ***Camille***

1b C'est qui?

1c Qu'est-ce que tu aimerais faire?

Exemple: J'aimerais aller (à Paris) et (visiter les monuments) …

À toi! B

Centre de Loisirs: les Deux Bois

Le centre dispose d'une capacité de 32 lits (chambres à 4 lits)
20 chevaux 15 poneys
8 courts de tennis
un golf de 9 trous
un pas de tir à l'arc
un parcours VTT
des terrains de basket et de volley
une base nautique équipée de planches à voile

Après le sport:

Découverte d'autres activités sportives: judo; karaté; tai-chi; badminton; pêche, etc.
centre relaxation, sauna, stretching

Nombreux sites touristiques à visiter:

Château du Bois; musée de la région; gorges du Bois; lac des cygnes, etc.

le tir à l'arc *archery*

LIRE **1a** **Ils sont allés au centre des Deux Bois. Qu'est-ce qu'ils ont fait? Copie et complète la grille.**

	matin	après-midi	soir
Janine			
Luc			
Sara			

Je suis allée au centre des Deux Bois. Le matin j'ai fait de l'entraînement, du footing et du stretching, l'après-midi j'ai fait du cheval. Nous avons fait des promenades dans le bois. Le soir j'ai fait un nouveau sport, j'ai fait du tir à l'arc! C'était super. **Janine**

Je suis allé aux Deux Bois pour faire un stage de tennis. Le matin nous avons joué au tennis, l'après-midi j'ai fait une balade en vélo et le soir j'ai fait de la planche à voile sur le lac. C'était cool! **Luc**

J'ai fait un stage de basket. Le matin on a fait de l'entraînement. J'ai fait du footing et du stretching. L'après-midi nous avons joué au basket et le soir j'ai choisi le karaté. **Sara**

ÉCRIRE **1b** **Écris un rapport.**

Exemple:
(Janine) est allé(e) …
Le matin il/elle a fait …
L'après-midi il/elle a fait …
Le soir il/elle a fait …

ÉCRIRE **2a** **Fatima et Nicolas sont allés au centre. Qu'est-ce qu'ils ont fait?**

Fatima

Nicolas

ÉCRIRE **2b** **Tu es allé(e) au centre. Qu'est-ce que tu as fait? Décris une journée au centre!**

Le matin …

Grammaire

1 Verbs (1): the present tense

Verbs are action words. They describe what someone or something 'does'.

In French most verbs end in **er**.
We usually divide French verbs into three groups according to the ending of the infinitive:

	Group 1	*Group 2*	*Group 3*
verbs which end in	er	ir	re

Which group do these verbs belong to?

acheter demander écouter écrire finir habiter lire parler porter recopier regarder remplir répondre

1.1 Regular *-er* verbs

Most French verbs end in **er** and most of them are regular.

Regular verbs all follow the same pattern, so if you learn one you can easily work out the others. Take off the **er** to find the stem, and then add the endings **e**, **es**, **e**, **ons**, **ez** or **ent**.

jouer *to play*

	Singulier	*Pluriel*
first person	je joue *I play*	nous jouons *we play*
second person	tu joues *you play*	vous jouez *you play*
third person	il/elle joue *he/she plays*	ils/elles jouent *they play*

Verbs which go like **jouer** include the following:

aimer, demander, écouter, habiter, parler, porter, regarder, travailler.

How would you say you do these things?

1 J' (habiter) en Angleterre.

2 J' (aimer) le sport.

3 Je (jouer) au tennis.

4 Je (porter) un sweat bleu.

5 Je (regarder) la télévision.

How would you ask someone if they do these things?

1 (Habiter) -tu en France?

2 (Jouer) -tu au football?

3 (Parler) -tu anglais?

4 (Écouter) -tu de la musique?

5 (Aimer) -tu le sport?

And how would you report back about what they do?

6 Il (habiter) à Paris.

7 Elle ne (jouer) pas de football.

8 Il ne (parler) pas anglais.

9 Elle (écouter) de la musique.

10 Il (aimer) le sport.

Remember that to say you *don't* do something you put **ne** in front of the verb and **pas** after it.

1.2 Irregular verbs: *avoir* and *être*

The two most used verbs are **avoir** (to have) and **être** (to be).

	avoir		*être*	
first person	j'ai	nous avons	je suis	nous sommes
second person	tu as	vous avez	tu es	vous êtes
third person	il/elle a	ils/elles ont	il/elle est	ils/elles sont

Complete these sentences.

1 J'... douze ans.
2 Je ... anglais(e).
3 J'... un frère.
4 Je n' ... pas d'animal.
5 Je ... sportif/ive.

How would you ask these questions?

1 Quel âge ... -tu?
2 ... -tu français?
3 ... -tu un frère?
4 ... -tu un animal?
5 ... -tu sportif/ive?

And how would you report back the answers?

6 Il ... 13 ans.
7 Elle ... française.
8 Il ... une sœur.
9 Elle n' ... pas d'animal.
10 Elle ... sportive.

2 Verbs (2): the perfect tense

2.1 Verbs with *avoir*

In French you use the *perfect tense* (*le passé composé*) to say what you have done at a certain time in the past.

The *passé composé* is usually formed by using the present tense of **avoir** and the past participle of the verb, just as in English:

j'ai joué *I have played*

auxiliary verb (avoir)	*past participle*	
j'ai	joué	*I (have) played*
tu as	joué	*you (have) played*
il/elle a	joué	*he/she (has) played*
nous avons	joué	*we (have) played*
vous avez	joué	*you (have) played*
ils/elles ont	joué	*they (have) played*

To form the past participle of **–er** verbs, take off the **er** and replace it with **é**:

jouer joué

Write the past participle of these **–er** verbs.

1 aimer **2** aller **3** danser **4** écouter **5** habiter **6** manger **7** parler **8** porter **9** regarder **10** travailler

Here are the past participles of some irregular verbs.

Look for patterns to help you learn them!

avoir	eu	dire	dit	prendre	pris
boire	bu	faire	fait	apprendre	appris
lire	lu	écrire	écrit	mettre	mis
voir	vu				

Write these sentences in the perfect tense.

1 J' (avoir) une surprise.
2 M. Bertrand (boire) un verre de vin rouge.
3 Nicolas (lire) une BD.
4 Pascal (écrire) une lettre.
5 Tu (voir) le film?
6 Mme Berriot (dire) «Bonjour».

To say you haven't done something, you put **ne** in front of the auxiliary verb (**avoir**) and **pas** after it:

je n'ai pas joué *I haven't played*

How would you say you haven't done/didn't do these things?

1 Je (écouter) de la musique.
2 Je (regarder) la télé.
3 Je (faire) mes devoirs.
4 Je (jouer) au tennis.
5 Je (manger) d'escargots.

2.2 Verbs with *être*

In the perfect tense most verbs take **avoir**, but some verbs take **être**.

auxiliary verb (être)	*past participle*	
je suis	allé(e)	*I have gone/I went*
tu es	allé(e)	*you went*
il/elle est	allé(e)	*he/she went*
nous sommes	allé(e)s	*we went*
vous êtes	allé(e)s	*you went*
ils/elles sont	allé(e)s	*they went*

Aller (to go), **rester** (to stay) and **rentrer** (to go back/return) are some of the verbs which take **être**.

Notice how the past participle agrees with the subject (the person or thing who is 'doing' the action) after verbs which take **être**:

Il est allé elle est allé**e**

How would you say where these people went?

1 Je … … au collège.
2 Où … -tu … ?
3 M. Bertrand … … en ville.
4 Mme Lambert … … au café.
5 Ma sœur … … au théâtre.
6 Nous … … au McDo.
7 … -vous … à Paris?
8 Mes parents … … au supermarché.
9 Fatima et Cathy … … au cinéma.

3 Verbs (3): reflexive verbs (present tense)

se coucher *to go to bed*

	Singulier	***Pluriel***
first person	je me couche	nous nous couchons
second person	tu te couches	vous vous couchez
third person	il/elle se couche	ils/elles se couchent

The following verbs work in the same way as **se coucher**:

s'appeler *to be called*	je m'appelle *I am called*
se réveiller *to wake up*	je me réveille *I wake up*
se lever *to get up*	je me lève *I get up*
se laver *to get washed*	je me lave *I get washed*
se doucher *to have a shower*	je me douche *I have a shower*
s'habiller *to get dressed*	je m'habille *I get dressed*
se reposer *to have a rest*	je me repose *I have a rest*

How would you say you do these things?

1 Je (se réveiller) à sept heures.

2 Je (se lever) à sept heures quinze.

3 Je (se doucher) à sept heures vingt.

4 Je (s'habiller) à sept heures trente.

5 Je (se laver) à sept heures quarante.

How would you ask someone when they do the following things?

À quelle heure tu te ...?

And how would you report back their answers?

7 Il/Elle (se réveiller) à six heures trente.

8 Il/Elle (se lever) à six heures quarante-cinq.

9 Il/Elle (se doucher) à six heures cinquante.

10 Il/Elle (s'habiller) à sept heures.

11 Il/Elle (se laver) à sept heures quinze.

12 Le soir, il/elle (se coucher) à dix heures du soir.

4 Time: the 24-hour clock

12h00 midi	*12 o'clock*
18h00 dix-huit heures	*6 p.m.*
19h00 dix-neuf heures	*7 p.m.*
20h30 vingt heures trente	*8.30 p.m.*
21h45 vingt et une heures quarante-cinq	*9.45 p.m.*
22h00 vingt-deux heures	*10 p.m.*

How would you say these times using the 24-hour clock?

1 7.30 p.m. **2** 8 p.m. **3** 8.15 p.m. **4** 8.30 p.m. **5** 9 p.m.
6 9.15 p.m. **7** 9.30 p.m. **8** 9.45 p.m. **9** 10 p.m. **10** 10.15 p.m.

5 Verbs (4): *faire* (to do)

Faire is an irregular verb.

	Singulier	*Pluriel*
first person	je fais	nous faisons
second person	tu fais	vous faites
third person	il/elle fait	ils/elles font

Remember that to say 'I don't do anything' you put **ne** in front of the verb and **rien** after it:

je ne fais rien *I don't do anything*

Who out of the following are not doing their homework?

1 Je ... mes devoirs.
2 Nicolas ... ses devoirs.
3 Martine ne ... pas ses devoirs.
4 Nous ... nos devoirs.
5 Claude et Luc ... leurs devoirs.
6 Murielle et Pascal ne ... pas leurs devoirs.

How would you ask the following questions using **faire**?

1 ... -tu tes devoirs? **2** ... -vous vos devoirs? **3** Que ... -tu? **4** Que ... -vous?

5.1 *pouvoir*

Pouvoir (to be able to) is an irregular verb.

	Singulier	*Pluriel*
first person	je peux *I can/I am able to*	nous pouvons *we can*
second person	tu peux *you can*	vous pouvez *you can*
third person	il/elle peut *he/she can*	ils/elles peuvent *they can*

How would you say who can go to the cinema?

1 Je ... aller au cinéma.
2 Nous …
3 Tu …
4 Ils …
5 Céline …
6 Vous …
7 Simon ne … pas …

5.2 Making a suggestion

To make a suggestion you can use the phrase **on pourrait** (we could). **Pourrait** is the *conditional form* of **pouvoir**.

How would you suggest doing the following activities?

On pourrait …

1 
2 
3 
4 
5 
6 

6 Verbs (5): the near future

To form the *near future tense* (*le futur proche*), just as in English you use the verb 'to go' and the infinitive:

Je vais aller … *I am going to go …*

Aller is an irregular verb:

	Singulier	*Pluriel*
first person	je vais	nous allons
second person	tu vas	vous allez
third person	il/elle va	ils/elles vont

How would you say the people are going to do these things?

1 Je … voir un film.
2 Tu … écouter de la musique.
3 Patrice … regarder la télévision.
4 Nous … faire nos devoirs.
5 Vous … faire une balade en vélo.
6 Les enfants … jouer au football.

7 Possessive adjectives

'My', 'your', 'his', 'her', etc. are called possessive adjectives because they show possession or ownership. The possessive adjective has to agree with the noun it describes:

Masculin	*Féminin*	*Pluriel*
mon sac *my bag*	**ma** carte *my card*	**mes** livres *my books*
ton vélo *your bike*	**ta** maison *your house*	**tes** frères *your brothers*
son porte-monnaie *his/her purse*	**sa** veste *his/her jacket*	**ses** clés *his/her keys*
notre frère *our brother*	**notre** sœur *our sister*	**nos** cousins *our cousins*
votre copain *your friend* (m)	**votre** copine *your friend* (f)	**vos** copains *your friends*
leur collège *their school*	**leur** maison *their house*	**leurs** amis *their friends*

1 le stylo

2 le livre

3 les clés

4 la trousse

5 le sac

6 le portable

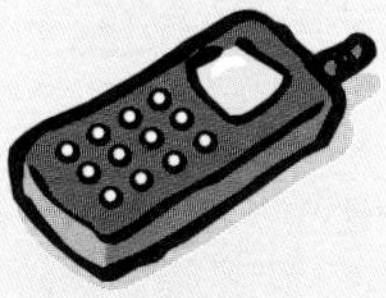

7 le porte-monnaie

8 les photos

How would you say the above things are 'mine'?

And ask if they are 'yours'?
C'est ton/ta ...?
Ce sont tes ...?

And report back?
C'est son/sa ...
Ce sont ses ...

How would you say the things are 'ours'?
C'est notre ...
Ce sont nos ...

And say they are 'yours' (*vous* form)?
C'est votre ...
Ce sont vos ...

And that they are 'theirs'?
C'est leur ...
Ce sont leurs ...

8 Adjectives

Adjectives are describing words. In French an adjective has to agree with the noun it is describing.

Singulier		***Pluriel***	
Masculin	***Féminin***	***Masculin***	***Féminin***
un grand frère	une grande sœur	des grands frères	des grandes sœurs

Most adjectives add an **e** when you are talking about a girl or something feminine.

The pattern is as follows for adjectives such as big, small, blue, blond, etc.

Singulier		***Pluriel***		
Masculin	***Féminin***	***Masculin***	***Féminin***	
grand	grande	grands	grandes	*big*
petit	petite	petits	petites	*small*

How would you say that these people are big?

1 Mon frère est ...
2 Ma soeur est ...
3 Mes parents sont ...
4 Mes copines sont ...

And that these people are small?

5 Tes copines sont ...
6 Ton copain est ...
7 Ta copine est ...
8 Tes copains sont ...

Remember that most adjectives add an **e** in the feminine unless they already end in **e**, such as **rouge** and **timide**. Adjectives which end in **f** change to **ve** (**sportif**, **sportive**), and those which end in **x** change to **se** (**ennuyeux**, **ennuyeuse**).

Singulier		*Pluriel*	
Masculin	*Féminin*	*Masculin*	*Féminin*
timide	timide	timides	timides
sportif	sportive	sportifs	sportives
actif	active	actifs	actives
paresseux	paresseuse	paresseux	paresseuses
ennuyeux	ennuyeuse	ennuyeux	ennuyeuses
beau	belle	beaux	belles

How would you say that Julien's family and friends are all sporty?

1 Julien est …
2 Sa sœur est …
3 Ses parents sont …
4 Ses copines sont …

And that Delphine's family and friends are all lazy?

5 Son frère est …
6 Ses parents sont …
7 Sa sœur est …
8 Ses copines sont …

And that Carmen's family are all good looking?

9 Son frère est …
10 Ses parents sont …
11 Sa sœur est …
12 Ses cousines sont …

9 The comparative

The comparative is used when you are comparing two people or things. To say that someone is more or less tall/sporty, etc. than someone else, you use:

plus *more* plus grand(e) *bigger* que/qu' *than*

moins *less* moins grand(e) *less big/smaller*

(Marc/Sophie) est plus grand(e) que …
moins petit(e) que …
plus timide que …
moins bavard(e) que …

10 The superlative

The superlative is used when comparing three or more people or things. You use it to say who is the largest, smallest, sportiest, etc.

(Marc) est le plus grand/le plus petit/le plus sportif.
(Sophie) est la plus grande/la plus petite/la plus sportive.

It is also used to say who is the best at something:

Il est le meilleur joueur de football.
Elle est la meilleure chanteuse.

Make up a sentence about each of these people.

Valérie

François

Patrick

Élisabeth

Pascale

Gaëlle

11 Which?

The word 'which' is also an adjective and has to agree with the noun it qualifies:

quel/quelle/quels/quelles?

Quel garçon?	*Which boy?*
Quelle maison?	*Which house?*
Quels livres?	*Which books?*
Quelles filles?	*Which girls?*

Use the correct form of **quel** to complete these questions.

1 ... âge a ton frère?
2 ... genre de films préfère-t-il?
3 ... est sa matière préférée?
4 ... sports fait-il?
5 ... couleurs préfère-t-il?
6 ... chanteur préfère-t-il?
7 ... livres préfère-t-il?

12 Direct object pronouns

In French, when you want to say 'it' or 'them', the 'it' or 'them' comes in front of the verb.

He likes it.	Il l'aime.
She doesn't like it.	Elle ne l'aime pas.
She prefers them.	Elle les préfère.
I don't like them.	Je ne les aime pas.

Remember that in French there is no single word for 'it'. Everything is either masculine or feminine: **le** or **la**.

Masculin	*Féminin*	*Pluriel*
le/l'	la/l'	les

Le, la or les?

1 un livre **2** une BD **3** une photo **4** des bouteilles **5** un poster **6** des nounours

How would you say you prefer these things?

1 *Je le préfère.*

13 Nouns (1): singular and plural

In French most nouns make their plural in the same way as in English, by adding **s**:

une main deux mains

If a noun already end in **s**, **z** or **x**, it does not change in the plural:

un bras	deux bras	*arms*
un nez	deux nez	*noses*

Most nouns which end in **ou**, **au** or **eau** make the plural by adding **x**:

un genou deux genoux *knees*

Most nouns which end in **al** make the plural by changing the ending to **aux**:

un animal des animaux *animals*

And finally, some nouns just like to be different:

un œil les yeux *eyes*

What is the plural of these words? Look up any words you don't know in the dictionary.

1 un chien, deux …
2 mon copain, mes …
3 ton frère, tes …
4 son cahier, ses …
5 un nez, deux …
6 un genou, deux …
7 un manteau, deux …
8 un bateau, deux …
9 un cheval, deux …
10 un gâteau, deux …
11 un journal, des …
12 un château, deux …
13 un oiseau, deux …
14 un animal, des …
15 un cadeau, deux …
16 un repas, deux …
17 une souris, deux …
18 un dos, deux …

14 Verbs (6): the imperative

The imperative is used to give instructions. It is the 'you' (**tu** or **vous**) form of the verb. When you are talking to someone you don't know, or to a group of people, you use the **vous** form of the verb without the **vous**. This is the form the teacher uses when addressing a group of people or the whole class:

Ecoutez!	*Listen!*
Rangez vos affaires!	*Put your things away.*
Utilisez le dictionnaire.	*Use the dictionary.*
Cherchez le mot dans le vocabulaire.	*Look up the word in the vocabulary.*
Allez!	*Go!*
Sortez.	*Go out.*
Venez.	*Come.*

How would you tell someone to do the following things?

1 (Aller) chez le dentiste.
2 (Prendre) d'aspirine.
3 (Mettre) un pull.
4 (Rester) au chaud.
5 (Sucer) des pastilles pour la gorge.

15 Nouns (2): masculine and feminine

Remember that all nouns in French are either masculine or feminine:

Masculin	*Féminin*	*Pluriel*	
le/l'	la/l'	les	*the*

Which is correct for each of these nouns: le, l', la or les?

1 ... pain **2** ... beurre **3** ... confiture **4** ... céréales **5** ... miel
6 ... sucre **7** ... eau **8** ... jus d'orange **9** ... croissants **10** ... lait

16 *De*: some or any

We don't always use it in English, but in French they always put 'some' in:

Je mange des céréales.	*I eat (some) cereal.*
Je bois du lait.	*I drink (some) milk.*

When **de** is used in front of the definite article **(le/la/les)** it sometimes combines with it:

Masculin	*Féminin*	*Pluriel*	
le	la	les	*the*
du (de l')	de la (de l')	des	*some*

How would you say you eat or drink these things?

Je mange/bois ...

1 ... pain **2** ... beurre **3** ... confiture **4** ... céréales **5** ... miel
6 ... sucre **7** ... eau **8** ... jus d'orange **9** ... croissants **10** ... lait

Remember that in the negative (after **ne** ... **pas**) you only use **de** or **d'**:

Je ne mange pas de pain, je ne bois pas d'eau.

17 *À*: saying to the …

When used in front of the definite article, **à** sometimes combines with the definite article:

Masculin	*Féminin*	*Pluriel*	
le (l')	la (l')	les	*the*
au (à l')	à la (à l')	aux	*to the*

How would you say you are going to these places?

1 boulangerie (f) **2** supermarché (m) **3** pâtisserie (f) **4** collège (m) **5** charcuterie (f) **6** cinéma (m) **7** gare (f) **8** hôtel (m) **9** piscine (f) **10** toilettes (pl)

18 Quantities and numbers

When talking about a quantity of something you want, **du**, **de la** and **des** become **de** and **de l'** becomes **d'**:

du vin	*but*	une bouteille de vin
de la purée de tomates	*but*	un tube de purée de tomates
de l'eau minérale	*but*	une bouteille d'eau minérale
		1000 g/un kilo de …
		500 grammes de …
		250 grammes de …
		une bouteille de …
		une boîte de …
		un tube de …
		un paquet de …

How would you ask for the following things?

19 *En*: of it/of them

En is a pronoun meaning 'of it' or 'of them', referring to something that has already been mentioned:

Je voudrais du fromage.	*I would like some cheese.*
Combien en voulez-vous?	*How much (of it) do you want?*

We don't have a comparable word in English, but in French you must remember to include it:

J'en veux un kilo.	*I want like a kilo (of it/them).*
J'en voudrais deux tubes	*I would like two tubes (of it/them).*
J'en voudrais une grande portion.	*I want a big portion (of it/them).*

Notice that **en** always comes in front of the verb.

How would these people say how much they want?

1 Voulez-vous des frites?	*(Yes, you want a big portion.)*
2 Voulez-vous un paquet de mouchoirs?	*(No, you want two packets.)*
3 Voulez-vous du jambon?	*(Yes, you want 400g.)*
4 Voulez-vous des pommes?	*(Yes, you want 1kg.)*
5 Voulez-vous un tube de dentifrice?	*(No, you want two.)*

20 Verbs (7): more on the perfect tense

When talking about what you yourself have done, you use the **je** form:
Je suis allé(e) … et j'ai acheté/mangé/déjeuné/bu/vu/fait …

When talking about what someone else has done, you use the **il/elle** form:
Il/Elle est allé(e) … et il/elle a acheté/mangé/déjeuné/bu/vu/fait …

Marc and Gaëlle say where they have been and what they have done.

Report back. For example: *Il/Elle est allé(e) … et il/elle a …*

Marc

1 Je suis allé à la piscine et j'ai nagé.

2 Je suis allé au cinéma et j'ai vu un film.

3 Je suis allé en ville et j'ai acheté un sweat.

4 Je suis allé chez ma copine et j'ai joué aux cartes.

Gaëlle

5 Je suis allée au collège et j'ai eu un cours de maths.

6 Je suis allée au Quick et j'ai mangé un burger.

7 Je suis allée en ville et j'ai fait du shopping.

8 Je suis allée chez mon copain et j'ai écouté de la musique.

21 Verbs (8): vouloir (to want to)

Vouloir is an irregular verb:

	Singulier	*Pluriel*
first person	je veux *I want to*	nous voulons *we want to*
second person	tu veux *you want to*	vous voulez *you want to*
third person	il/elle veut *he/she wants to*	ils/elles veulent *they want to*

Complete these sentences saying where these people want to go to.

1 Je … aller au bord de la mer.

2 Mon copain … aller en ville.

3 Mes parents … aller à la campagne.

4 Nous … aller à St Tropez.

5 Où … -vous aller?

6 Tu … aller avec moi?

7 Sandrine … rester à la maison.

22 Rappel: *à* (to)

Remember that when it is used in front of the definite article, **à** sometimes changes. This is just the same when it is used before the names of places which begin with **le** or **les**:

Le Havre   Je vais au Havre.

How would you say you are going to the following places?
For example: *Je vais à la, au, à l'* or *aux ...*

1 la tour Eiffel **2** l'Arc de triomphe **3** le musée du Louvre **4** les Champs Élysées **5** la Cité des Sciences et de l'Industrie **6** les magasins **7** les Halles

23 *Y*: there

Y is a pronoun meaning 'there'. It refers to a place that has already been mentioned. In French you have to add **y** (there) before the verb, even where we don't use it in English:

Je vais à Paris.	*I am going to Paris.*
J'y vais demain.	*I am going (there) tomorrow.*
Tu y vas seul(e)?	*Are you going (there) alone?*
Non, j'y vais avec ma classe.	*No, I'm going (there) with my class.*

Notice that **y** always comes in front of the verb.

These people are all going to Paris. How would you say how they are going to travel?

For example: *Miss Smith y va en train.*

1 Tony

2 Mr Prescott

3 Mr Brown

4 Miss Jackson

24 Verbs (9): the conditional tense

The conditional tense is used when you want to say 'would' or 'could':

je voudrais (vouloir *to want*)	*I would like*
j'aimerais (aimer *to like*)	*I would like*
je préférerais (préférer *to prefer*)	*I would prefer*
je pourrais (pouvoir *to be able*)	*I could*
on pourrait	*we could*

Use the following endings:

	Singulier	***Pluriel***
first person	je –ais	nous -ions
second person	tu –ais	vous -iez
third person	il/elle/on –ait	ils/elles -aient

Complete the following sentences in the conditional tense.

1 Je (vouloir) aller à Paris.

2 Je (aimer) rester à la maison.

3 Je (préférer) aller en ville.

4 Je (pouvoir) aller au cinéma.

5 J' (aimer) aller au Parc Disneyland.

25 Verbs (10): more on the present tense

The present tense is used to say what is happening now or what usually happens:

I live in Newcastle. *I play basketball.* *I like cycling.*

If you are talking about yourself you use the **je** form, 'I'. This is the first person singular:

J'habite à Newcastle. Je joue au football. J'aime le cyclisme.

If you are asking questions you use the **tu** form, 'you', when speaking to a friend or someone you know well. This is the second person singular:

Habites-tu à Paris? Joues-tu au basket? Aimes-tu le cyclisme?

If you are talking about someone else you use the **il/elle** form, 'he/she'. This is the third person singular:

Il/Elle habite à Paris. Il/Elle joue au basket. Il/Elle aime le cyclisme.

If you are talking about yourself and someone else you use the **nous** form, 'we'. This is the first person plural:

Nous habitons à Paris. Nous jouons au tennis. Nous aimons le cyclisme.

If you are asking questions you use the **vous** form, 'you', when speaking to someone older or someone you don't know, or to more than one person. This is the second person plural:

Habitez-vous à Paris? Jouez-vous au tennis? Aimez-vous le cyclisme?

If you are talking about more than one person you use the **ils/elles** form, 'they'. This is the third person plural:

Ils/Elles habitent à Paris. Ils/Elles jouent au badminton. Ils/Elles aiment la natation.

Je, **tu**, **il**, **elle**, **nous**, **vous**, **ils** and **elles** are all pronouns because they take the place of a noun.

Which would you use: **je**, **tu**, **il**, **elle**, **nous**, **vous**, **ils** or **elles**?

1 You are talking about your sister.

2 You are asking your friend a question.

3 You are talking about yourself.

4 You are talking about yourself and your sister.

5 You are talking about your brother.

6 You are talking about your parents.

7 You are asking an adult a question.

25.1 Regular -er verbs

Most French verbs end in **er** and most are regular, i.e. they follow the same pattern. The endings are as follows:

	Singulier	*Pluriel*
first person	je –e	nous -ons
second person	tu –es	vous -ez
third person	il/elle/on –e	ils/elles -ent

jouer *to play*

	Singulier	*Pluriel*
first person	je joue	nous jouons
second person	tu joues	vous jouez
third person	il/elle/on joue	ils/elles jouent

Joue, **joues**, **joue** and **jouent** all sound the same. Only **jouons** and **jouez** sound different.

Complete the sentences by adding the correct form of the verb in brackets.

(habiter)

1 J' ... en Angleterre.

2 Nous … à Manchester.

3 Hamish … en Écosse.

4 Où … -vous?

5 Mes cousins … à Birmingham.

(jouer)

6 Mon frère … au rugby.

7 Ma sœur … au tennis.

8 Mes parents … au badminton.

9 Je … au ping-pong.

10 … -tu au football?

(regarder)

11 Ma sœur … la télévision.

12 Mes parents ne … pas la télévision.

13 Je … 'Friends'.

14 … -tu 'Friends'?

15 Nicolas … les films de science-fiction.

You should now be able to use what you know to work out how other verbs go, e.g. **surfer** (to surf).

Complete the following sentences using the verb **surfer**.

1 Je … sur l'internet.

2 … -tu sur l'internet?

3 Mon frère … sur l'internet.

4 … -vous sur l'internet?

5 Nous … sur l'internet.

6 Mes copains … sur l'internet.

25.2 More useful regular *–er* verbs

Check you know what these verbs mean – look up the ones you don't know in the dictionary.

aimer	continuer	entrer	manger	passer	recopier	toucher
arriver	demander	fermer	marcher	penser	regarder	travailler
changer	donner	habiter	oublier	porter	rentrer	trouver
chercher	écouter	laver	parler	poser	rester	utiliser

25.3 Some irregular verbs

Avoir, **être**, **aller** and **faire** are all irregular verbs:

	avoir		*être*	
first person	j'ai	nous avons	je suis	nous sommes
second person	tu as	vous avez	tu es	vous êtes
third person	il/elle a	ils/elles ont	il/elle est	ils/elles sont

Complete the following sentences with the correct part of **avoir**.

1 J' … un frère.
2 ... -tu un animal?
3 Marc … un chat.
4 Nous ... un chien.
5 … -vous une sœur?
6 Mes cousins … un poney.

Complete these sentences with the correct part of **être**.

1 Marc ... français.
2 Ses parents ... antillais.
3 Son oncle … canadien.
4 Je … anglais(e).
5 Nous … sportifs.
6 Benjamin … paresseux.
7 … -tu bavard(e)?

	aller		*faire*	
first person	je vais	nous allons	je fais	nous faisons
second person	tu vas	vous allez	tu fais	vous faites
third person	il/elle va	ils/elles vont	il/elle fait	ils/elles font

Complete the following sentences with the correct part of **aller**.

1 Mes parents … à Paris.
2 Je ... en ville.
3 Mon frère … à la piscine.
4 Julie … chez son copain.
5 Nous … au cinéma.
6 Où ... -tu?

Complete these sentences with the correct part of **faire**.

1 Nous … nos devoirs.
2 Marc ... une balade en vélo.
3 Mes amis … un tour en bateau.
4 Je … de l'équitation.
5 ... -vous du cyclisme?
6 Gaëlle … du shopping.

26 Question words

Combien?	*How many/How much?*
Comment?	*How/Pardon?*
Où?	*Where?*
Pourquoi?	*Why?*
Quand?	*When?*
Que?	*What?*
Quel/quelle/quels/quelles?	*Which?*
Qui?	*Who?*

Fill in the missing words in these sentences.

1 … t'appelles-tu?
2 … âge as-tu?
3 ... habites-tu?
4 … heure est-il?
5 … est le plus sportif?
6 … de sœurs as-tu?
7 … fais-tu le soir?
8 … d'heures de devoirs as-tu?
9 … fais-tu tes devoirs?

27 Numbers – *Les nombres*

0	zéro
1	un
2	deux
3	trois
4	quatre
5	cinq
6	six
7	sept
8	huit
9	neuf
10	dix
11	onze
12	douze
13	treize
14	quatorze
15	quinze
16	seize
17	dix-sept
18	dix-huit
19	dix-neuf
20	vingt
21	vingt et un
22	vingt-deux
23	vingt-trois
24	vingt-quatre
25	vingt-cinq
26	vingt-six
27	vingt-sept
28	vingt-huit
29	vingt-neuf
30	trente
31	trente et un
32	trente-deux
33	trente-trois
34	trente-quatre
35	trente-cinq
36	trente-six
37	trente-sept
38	trente-huit
39	trente-neuf
40	quarante
41	quarante et un
42	quarante-deux
43	quarante-trois
44	quarante-quatre
45	quarante-cinq
46	quarante-six
47	quarante-sept
48	quarante-huit
49	quarante-neuf
50	cinquante
51	cinquante et un
52	cinquante-deux
53	cinquante-trois
54	cinquante-quatre
55	cinquante-cinq
56	cinquante-six
57	cinquante-sept
58	cinquante-huit
59	cinquante-neuf
60	soixante
61	soixante et un
62	soixante-deux
63	soixante-trois
64	soixante-quatre
65	soixante-cinq
66	soixante-six
67	soixante-sept
68	soixante-huit
69	soixante-neuf
70	soixante-dix
71	soixante et onze
72	soixante-douze
73	soixante-treize
74	soixante-quatorze
75	soixante-quinze
76	soixante-seize
77	soixante-dix-sept
78	soixante-dix-huit
79	soixante-dix-neuf
80	quatre-vingts
81	quatre-vingt-un
82	quatre-vingt-deux
83	quatre-vingt-trois
84	quatre-vingt-quatre
85	quatre-vingt-cinq
86	quatre-vingt-six
87	quatre-vingt-sept
88	quatre-vingt-huit
89	quatre-vingt-neuf
90	quatre-vingt-dix
91	quatre-vingt-onze
92	quatre-vingt-douze
93	quatre-vingt-treize
94	quatre-vingt-quatorze
95	quatre-vingt-quinze
96	quatre-vingt-seize
97	quatre-vingt-dix-sept
98	quatre-vingt-dix-huit
99	quatre-vingt-dix-neuf
100	cent
101	cent un
200	deux cents
300	trois cents
1000	mille
2000	deux mille

27.1 Ordinals

premier/première deuxième troisième dernier/dernière

28 The calendar – Le calendrier

28.1 Days of the week – *Les jours de la semaine*

lundi; mardi; mercredi; jeudi; vendredi; samedi; dimanche

28.2 Months of the year – *Les mois de l'année*

janvier; février; mars; avril; mai; juin; juillet; août; septembre; octobre; novembre; décembre

29 Expressing an opinion

It is …	C'est cool/super/génial …
It was …	C'était ennuyeux/fatigant/amusant/intéressant …

30 Useful conjunctions

A conjunction is a joining word:

et	*and*	mais	*but*
puis	*then*	alors	*then*
ensuite	*afterwards*		

31 Verb tables

31.1 Regular verbs

-er	*-ir*	*-ir*	*-re*
jouer *to play*	**finir** *to finish*	**sortir** *to go out*	**répondre** *to reply*
je joue	je finis	je sors	je réponds
tu joues	tu finis	tu sors	tu réponds
il/elle joue	il/elle finit	il/elle sort	il/elle répond
nous jouons	nous finissons	nous sortons	nous répondons
vous jouez	vous finissez	vous sortez	vous répondez
ils/elles jouent	ils/elles finissent	ils/elles sortent	ils/elles répondent
Perfect	*Perfect*	*Perfect*	*Perfect*
j'ai joué	j'ai fini	je suis sorti(e)	j'ai répondu

31.2 Some useful irregular verbs

avoir *to have*	**être** *to be*	**aller** *to go*	**faire** *to do*
j'ai	je suis	je vais	je fais
tu as	tu es	tu vas	tu fais
il/elle a	il/elle est	il/elle va	il/elle fait
nous avons	nous sommes	nous allons	nous faisons
vous avez	vous êtes	vous allez	vous faites
ils/elles ont	ils/elles sont	ils/elles vont	ils/elles font
Perfect	*Perfect*	*Perfect*	*Perfect*
j'ai eu	j'ai été	je suis allé(e)	j'ai fait

pouvoir *to be able to*	vouloir *to want to*	boire *to drink*	prendre *to take*
Je peux	je veux	je bois	je prends
Tu peux	tu veux	tu bois	tu prends
Il/elle peut	il/elle veut	il/elle boit	il/elle prend
Nous pouvons	nous voulons	nous buvons	nous prenons
Vous pouvez	vous voulez	vous buvez	vous prenez
Ils/elles peuvent	ils/elles veulent	ils/elles boivent	ils/elles prennent
Perfect	*Perfect*	*Perfect*	*Perfect*
j'ai pu	j'ai voulu	j'ai bu	j'ai pris

31.3 Reflexive verbs

se lever *to get up*	se coucher *to go to bed*	s'habiller *to get dressed*
je me lève	je me couche	je m'habille
tu te lèves	tu te couches	tu t'habilles
il/elle se lève	il/elle se couche	il/elle s'habille
nous nous levons	nous nous couchons	nous nous habillons
vous vous levez	vous vous couchez	vous vous habillez
ils/elles se lèvent	ils/elles se couchent	ils/elles s'habillent

Vocabulaire français–anglais

A

a lieu *takes place*
à sept heures *at seven o'clock*
à tout à l'heure *see you later*
l' abricot *apricot*
l' abri (m) *shelter*
l' accueil (m) *reception/welcome*
l' accueil des familles *families welcome*
j'ai acheté *I bought*
nous avons acheté *we bought*
l' action (f) *action*
l' addition (f) *bill*
admirer *to admire*
j' adore *I love*
j' ai fait du vélo *I rode my bike*
j' ai fait les magasins *I went shopping*
j' ai les cheveux ... *I have ... hair*
l' ail (m) *garlic*
je les aime à la folie *I love them to bits*
je n' aime pas *I don't like*
j' aime *I like*
j' aimerais *I would like*
je suis allé(e) *I went*
nous sommes allé(e)s *we went*
aller *to go*
aller à la/au ... *to go to the ...*
je vais aller à ... *I'm going to go to ...*
s' allonger *to stretch out/to lie down*
améliorer *to improve*
l' amour (m) *love*
amusant(e) *amusing*
l' an (m) *year*
l' ananas (m) *pineapple*
anglais(e) *English*
l' Angleterre *England*
l' animal *pet*
antillais(e) *West Indian*
je m' appelle *I am called*
apprendre *to learn*
mon arbre généalogique *my family tree*
à l' arrêt de bus *at the bus stop*
je suis arrivé(e) *I arrived*
l' art dramatique *theatre, drama*
les artistes de mime (m/fpl) *mime artists*
l' ascenseur (m) *lift*
je l' assaisonne *I season it*
assaisonner *to season*
nous avons assisté *we went to*
assister à *to be present at*
au Canada *in Canada*
au moins *at least*
au pays de Galles *in Wales*
l' auberge de jeunesse (f) *youth hostel*
l' aubergine (f) *aubergine*
d'après *according to*
avec *with*
avez-vous ...? *have you ...?*
en avion *by plane*
avoir *to have*
nous avons *we have*

B

la baguette *French stick*
la banane *banana*
le bâtiment *building*
bavard(e) *talkative*
le beau-père *stepfather*
beau/belle *good-looking*
la belle-mère *stepmother*
le beurre *butter*
une bibliothèque *library*
le bifteck *steak*
bleu-gris *grey-blue*
blond(e) *blond (hair)*
boire *to drink*
boire la tasse *to swallow a lot of water (when swimming)*
je bois *I drink*
la boisson fraîche *cool drink*
les boissons (fpl) *drinks*
une boîte d'allumettes *a box of matches*
une boîte *tin*
les bonbons (mpl) *sweets*
bonjour *hello, good morning*
la boucherie *butcher's*
bouclé(e) *curly*
la boulangerie *baker's*
le bouquet *bunch*
une bouteille d'eau gazeuse *a bottle of fizzy water*
une bouteille oxygène *a cylinder of oxygen*
la bouteille *bottle*
le bras *arm*
brun(e) *brown*
j'ai bu *I drank*

C

c'est à quelle heure? *when is it?*
c'est comment? *what is it like?*
c'est ennuyeux *it's boring*
c'est fatigant *it's tiring*
c'est génial *it's great*
c'est marrant *it's fun*
c'est quel genre de film? *what sort of film is it?*
c'est super *it's super*
c'est un film ... *it's a ... film*
la cabine téléphonique *telephone booth*
le café *coffee*
au Canada *in Canada*
canadien(ne) *canadian*
le canoë *canoeing*
car *because*
le car de ramassage *school bus*
en car *by coach*
un carnet de tickets *a book of ten tickets*
les carottes *carrots*
une carte *a map*
les cartes postales *postcards*
ce matin *this morning*
ce n'est pas mon truc *it's not my thing*
ce soir *this evening*
un centre aéré *an outdoor centre*
les céréales *cereals*
une chaîne stéréo *a hi-fi*
la chambre *bedroom*
un chameau *a camel*
les champignons *mushrooms*
changez *change (vous command)*
chanter autour du feu *to sing around the campfire*
le char *float*
la charcuterie *delicatessen*
châtain *chestnut brown (hair)*
un château *castle*
cher/chère *dear*
les cheveux *hair*
les chips *crisps*
le chocolat chaud *hot chocolate*
choisir *to choose*
le chou *cabbage*
... heures cinq *five past ...*
cinquante *fifty*
le citron *lemon*
ma classe *my class*
cliquer sur *to click on*
un coca *a coca-cola*
le collège *secondary school (ages 10–14)*
coller *to stick*
combien? *how much/how many?*
la combinaison de plongée *wet suit*
les commandes *orders*
comment y vas-tu? *how are you going there?*
la confiture *jam*
connaître *to get to know*
conseiller *to advise*
contacter *to contact (a person)*
un contrôle *a test*
mes copains *my friends*
le corps *body*
mon/ma correspondant(e) *my penpal*
le cou *neck*

je me couche *I go to bed*
se coucher *to go to bed*
coupé(e) *cut*
une cour *a courtyard*
courageux/euse *brave*
la courgette *courgette*
court(e) *short*
mon cousin *my cousin* (m)
ma cousine *my cousin* (f)
crier *to call out, shout out*
la cuisine *kitchen*

D

d' *from, of (before vowel or 'h')*
découvrir *to discover*
dehors *outside*
le déjeuner *lunch*
déménager *to move*
le demi-frère *half-brother*
la demi-sœur *half-sister*
le départ *departure*
depuis longtemps *for a long time*
descendez *get off* (vous *command*)
le dessert *dessert*
un dessin *a drawing*
je déteste *I hate*
dire *to say*
direction *in the direction of*
dix-huit heures *six o'clock (p.m.)*
dix-neuf heures *seven o'clock (p.m.)*
le doigt *finger*
donc *so*
donnez-moi *give me* (vous *command)*
le dos *back*
je me douche *I have a shower*
se doucher *to have a shower*

E

l' eau (f) *water*
l' eau froide *cold water*
l' eau minérale *mineral water*
écossais(e) *Scottish*
l' Écosse *Scotland*
écouter *to listen*
j'ai écouté de la musique *I listened to music*
écrire *to write*
j'ai écrit *I wrote*
les effets spéciaux *special effects*
effrayant(e) *frightening*
elle *she*
c'est embêtant *it's annoying*
émouvant(e) *moving/touching*
l' endroit *place*
il m' énerve *he gets on my nerves*
enfantin(e) *childish*
ennuyeux/euse *boring*
ensemble *together*
l' entraînement (m) *training*
s' entraîner *to practise*
les entrées *starters*
entreprendre *to undertake*
entrer *to enter*
l' épaule (f) *shoulder*
l' épice (f) *spice*
l' épinard (m) *spinach*
l' équitation (f) *horse-riding*
l' escalade (f) *climbing*
les escaliers (mpl) *stairs*
l' escrime (f) *fencing*
j' espère *I hope*
espérer *to hope*
il est *he/it is*
et demie *half past*
et quart *quarter past*
l' étendage (m) *washing line*
être *to be*
une exposition *an exhibition*
à l' extérieur (m) *on the outside*

F

faire *to do*
faire la grasse matinée *to have a lie-in*
faire une balade à vélo *to go for a bike ride*
j'ai fait *I made/took*
je n'ai pas fait de ... *I didn't do ...*
j'ai fait du vélo *I rode my bike*
j'ai fait les magasins *I went shopping*
j'ai fait mes devoirs *I did my homework*
faites-le savoir *make it known* (vous *command*)
la falaise *cliff*
fatigant(e) *tiring*
il faut *we'll have to*
fermer *to shut*
un feu *a fire*
de la fièvre *a temperature*
la fille *girl*
les fraises (fpl) *strawberries*
les framboises (fpl) *raspberries*
français(e) *French*
frapper *to knock*
le frère *brother*
le frère jumeau *twin brother*
les frites *chips*
le fromage *cheese*
un fruit *a fruit*
fumer *to smoke*

G

gagner *to win*
j'ai gagné *I won*
gallois(e) *Welsh*
le garçon *boy*
gâté(e) *spoilt*
le gâteau *cake*
gazeux/euse *fizzy*
génial *brilliant!*
la glace *icecream*
grand(e) *big*
le/la plus grand(e) *the biggest*
plus grand(e) *bigger*
la grand-mère *grandmother*
le grand-père *grandfather*
les grands magasins *the department stores*
les grands-parents *grandparents*
gras(se) *greasy*
je me fais gronder *I'm told off*
la Guerre des Étoiles *Star Wars*
la gymnastique rythmique et sportive *gymnastics*

H

je m' habille *I get dressed*
s' habiller *to get dressed*
j' habite à *I live in*
habiter *to live*
où habites-tu? *where do you live?*
les haricots *beans*
hautement *highly*
hélas *alas/sadly*
heurter *to collide with*
hier *yesterday*
les histoires de fantômes *ghost stories*

I

il *he*
il n'y a pas de *there isn't/aren't any*
il y a *there is/are*
un immeuble *a flat*
s' informer sur *to find out about*
à l' intérieur *on the inside*
l' invitation (f) *invitation*
irlandais(e) *Irish*

J

la jambe *leg*
le jambon *ham*
je *I*
un jean *jeans*
un jeton *a token*
j'ai joué *I played*
je n'ai pas joué *I didn't play*
jouer au/aux ... *to play ...*
le jumeau *twin (m)*
la jumelle *twin (f)*
le jus d'orange *orange juice*

K

le kayak *kayaking*

L

le lait *milk*
la langue *tongue*
laquelle? *which? (f)*
la laverie *laundry*

se laver *to get washed*
lequel? *which? (m)*
je me lève *I get up*
se lever *to get up*
la lèvre *lip*
la ligne *line*
une limonade *a lemonade*
le linge *laundry*
lire *to read*
lisse *smooth*
le lit *bed*
il livre *he delivers*
livrer *to deliver*
la location de vélos *bicycle hire*
louer *to hire*
j'ai lu *I read*
le lycée *6th form college (ages 15–18)*

M

ma *my (f)*
le magasin *shop*
le maillot *swimsuit*
la main *hand*
mal à la gorge *sore throat*
mal à la tête *headache*
mal au ventre *stomach ache*
mal aux dents *toothache*
mal aux oreilles *earache*
mal aux pieds *sore feet*
je mange *I eat*
manger *to eat*
j'ai mangé *I ate*
le manteau *coat*
le marché *market*
marrant(e) *funny*
le matin *in the morning*
le meilleur chemin *the best route*
le/la meilleur(e) *the best*
même *even*
merci *thank you*
la mère *mother*
mes *my (pl)*
je mets *I put on*
mettre *to put on*
mettre en colère *to make angry*
midi *midday*
le miel *honey*
moi *me*
moins *less*
moins cinq *five to*
moins le quart *a quarter to*
moins vingt *twenty to*
la momie *mummy*
mon *my (m)*
les monuments *the sights*
mouillé(e) *wet*
le moyen de transport *means of transport*
le mur *wall*
le mur d'escalade *climbing wall*

N

la natation *swimming*
(le téléphone) ne marche pas *(the telephone) isn't working*
ne pas . *don't …*
je suis né(e) *I was born*
le nez *nose*
noisette *hazel*
les nombres *numbers*
non gazeuse *still (water)*
nos *our (pl)*
notre *our (sing)*
la nouille *noodle*
le nounours *(teddy) bear*
nous *we*

O

un œil *an eye*
un œuf *an egg*
on pourrait *we could*
mon oncle *my uncle*
l' orchestre (m) *orchestra*
l' ordinateur (m) *computer*
l' oreille (f) *ear*
ouvert(e) toute la journée *open all day*
ouvrir *to open*

P

le pain grillé *toast*
le pain *bread*
un panier-repas *a packed lunch*
un paquet *a packet*
le parapente *paragliding*
parce que *because*
mes parents *my parents*
paresseux/euse *lazy*
parfois *sometimes*
le parking *parking*
partir *to set off*
partout *everywhere*
pas mal *not bad*
mes passe-temps *my hobbies*
passer *to spend*
les pâtes *pasta*
la pâtisserie *cake shop*
la patte *paw*
la peau *skin*
la pêche *fishing*
la peinture *painting*
en peluche *fluffy*
pendant *during*
le père *father*
le petit déjeuner *breakfast*
petit(e) *small*
en petits morceaux *into small bits*
les petits pois *peas*
je peux *I can*
je ne peux pas *I can't*
le pied *foot*
le ping-pong *table tennis*
la planche à voile *windsurfing*
le plat principal *main course*
plein(e) de vie *full of life*
la plongée *diving*
la plupart des *the majority of*
plus *more*
plus grand(e) *bigger*
plus petit(e) *smaller*
le/la plus proche *the nearest*
plus tard *later*
plus tôt *earlier*
le poil *hair/fur*
le point de rassemblement *meeting place*
la poire *pear*
le poisson *fish*
la pomme *apple*
les pommes de terre *potatoes*
poser des questions *to ask questions*
un pot *a pot*
le poulet *chicken*
le poulet rôti *roast chicken*
pour combien de temps? *for how long?*
pourquoi? *why?*
je pourrais *I could*
pouvoir *to be able*
je préfère *I prefer*
préférer *to prefer*
je préférerais *I would prefer*
prendre *to take*
je prends *I take*
prenez *take* (vous command)
prenez le métro *take the metro* (vous command)

Q

quand? *when?*
quarante *forty*
quatre-vingt-dix *ninety*
quatre-vingts *eighty*
que *than*
quelquefois *sometimes*
la queue *tail*
quinze heures *three o'clock (p.m.)*

R

le raisin *grapes*
la randonnée *hiking*
ranger *to put away*
le rap *rap music*
rater le bus *to miss the bus*
recommencer *to begin again*
j'ai regardé la télé *I watched TV*
les remparts séculaires *age-old city walls*
j'ai rencontré *I met*
je suis rentré(e) *I went back*
rentrer *to return*
le repas *meal*
le repas de midi *midday meal*
le repas du soir *evening meal*

se reposer *to rest*
respirer *to breathe*
le restaurant *restaurant*
je suis resté(e) *I stayed*
restez *stay* (vous *command*)
restez au chaud *keep warm* (vous *command*)
restez au lit *stay in bed* (vous *command*)
retrouver *to meet up*
je me réveille *I wake up*
se réveiller *to wake up*
rêver *to dream*
réviser *to revise*
le riz *rice*
roux/sse *red (hair)/redhead*

S

sa *his/her (f)*
le sable *sand*
le sac à dos *rucksack*
un sac de couchage *a sleeping bag*
je sais *I know*
la salade *lettuce*
une salade verte *a green salad*
la salle de jeux *games room*
les sanitaires *washrooms*
le sapin *fir tree*
sauter à l'élastique *to bungee jump*
savoir *to know*
le scaphandre autonome *aqualung*
sécher *to dry*
sec/sèche *dry*
sera fermé(e) *will be closed*
ses *his/her (pl)*
la seule fille *only daughter*
le shopping *shopping*
le sirop *cough mixture*
la sœur *sister*
soixante *sixty*
soixante-dix *seventy*
soixante-quinze *seventy-five*
sombrer *to sink*
son *his/her (m)*
je sors *I go out*
la sortie de secours *emergency exit*
sortir *to go out*
soumettre *to submit*
le sourcil *eyebrow*
sportif/ive *sporty*
un stage *a course*
la station de métro *metro station*
un steak haché *a burger*
sucez *suck* (vous *command*)
le sucre *sugar*
je suis *I am*
suisse *Swiss*
suivre *to follow*
super! *great!*
le supermarché *supermarket*
j'ai surfé sur le net *I surfed the net*
surfer sur l'internet *to surf the internet*
suspense *suspense*
le sweat *sweatshirt*

T

ta *your (f)*
la taille *waist*
ma tante *my aunt*
taper *to type in*
une tarte aux fraises *a strawberry tart*
une tartelette *a tartlet*
une tartine beurrée *a piece of bread and butter*
le tennis *tennis*
le terrain de sports *sports field*
tes *your (pl)*
ma tête *my head*
le thé *tea*
le ticket *ticket*
timide *shy*
les tomates *tomatoes*
la tombe du Soldat inconnu *grave of the Unknown Soldier*
tomber *to fall*
ton *your (m)*
un tour *a tour*
tous les deux *both*
je tousse *I've got a cough*
tout le temps *all the time*
toute à la fois *at the same time*
en train *by train*
traîner *to lie around*
la traversée *crossing*
treize heures *one o'clock (p.m.)*
trente *thirty*
triste *sad*
j'ai trop de devoirs *I've too much homework*
le truc *thing*
un tube *a tube*
le tunnel sous la Manche *the Channel tunnel*

U

Utilisez *use* (vous *command*)

V

j'y vais *I'm going there*
j'y vais avec … *I'm going there with …*
je vais *I go*
la veille *the day before*
un vélo tout terrain (VTT) *a mountain bike*
en vélo *by bike*
venir *to come*
je veux *I want*
je veux bien *I would like*
je ne veux pas *I don't want to*
je viens *I come*
vingt heures trente *eight thirty (p.m.)*
une visite *a visit*
une vitrine *a window*
voir *to see*
en voiture *by car*
le volley-ball *volleyball*
vos *your (formal, pl)*
votre *your (formal, sing)*
je voudrais *I would like*
nous voudrions savoir *we would like to know*
vouloir *to wish/want*
un voyage *a journey*
le VTT *mountain-biking*
j'ai vu *I saw*

Y

un yaourt *a yoghurt*
les yeux *eyes*

Vocabulaire anglais-français

A

a quarter to *moins le quart*
action *action*
to admire *admirer*
to advise *conseiller*
I am *je suis*
amusing *amusant(e)*
anorak *un anorak*
apple *la pomme*
apricot *l'abricot (m)*
arm *le bras*
arrival *l'arrivée (f)*
I arrived *je suis arrivé(e)*
to ask questions *poser des questions*
at my house *chez moi*
at what time? *à quelle heure?*
I ate *j'ai mangé*
aubergine *l'aubergine (f)*
my aunt *ma tante*

B

back *le dos*
baker's *la boulangerie*
banana *la banane*
to be able *pouvoir*
to be *être*
beautiful *beau/belle*
because *parce que*
bed *le lit*
bedroom *la chambre*
the best *le/la meilleur(e)*
bicycle hire *la location de vélos*
big *grand(e)*
bigger *plus grand(e)*
the biggest *le/la plus grand(e)*
by bike *en vélo*
blond hair *les cheveux blonds*
boring *ennuyeux/euse*
I was born in … *je suis né(e) en/au …*
I bought *j'ai acheté*
boy *le garçon*
brave *courageux/euse*
bread *le pain*
breakfast *le petit déjeuner*
brilliant! *génial!*
brother *le frère*
brown *brun(e)*
brown hair *les cheveux bruns*
a burger *un steak haché*
bus stop *l'arrêt de bus*
butcher's *la boucherie*
butter *le beurre*

C

cabbage *le chou*
cake *le gâteau*
cake shop *la pâtisserie*
we camped *nous avons fait du camping*
Canadian *canadien(ne)*
by car *en voiture*
a castle *un château*
cereal *les céréales*
change (trains) *changez* (vous command)
Channel tunnel *le tunnel sous la Manche*
cheese *le fromage*
cherries *les cerises*
chestnut hair *les cheveux châtains*
chicken *le poulet*
childish *enfantin(e)*
chips *les frites*
climbing *l'escalade (f)*
by coach *en car*
coat *le manteau*
coffee *le café*
computer *l'ordinateur (m)*
I could … *je pourrais …*
courgette *la courgette*
a (study) course *un stage*
my cousin *ma cousine (f), mon cousin (m)*
crisps *les chips (fpl)*
curly hair *les cheveux bouclés*

D

dance *la danse*
dear *cher/chère*
departure *le départ*
I did my homework *j'ai fait mes devoirs*
to discover *découvrir*
diving *la plongée*
I didn't do … *je n'ai pas fait de …*
to do, (to carry out) *pratiquer*
to do *faire*
drama *l'art dramatique*
I drank *j'ai bu*
I drink *je bois*
to drink *boire*
drinks *les boissons*
dry *sec/sèche*

E

ear *l'oreille (f)*
earache *mal aux oreilles*
I eat *je mange*
to eat *manger*
egg *l'œuf (m)*
eighty *quatre-vingts*
England *l'Angleterre*
to enter *entrer*
an eye *un œil*
eyebrow *le sourcil*
eyes *les yeux*

F

family tree *l'arbre (m) généalogique*
father *le père*
fifty *cinquante*
finger *le doigt*
fir tree *le sapin*
fish *le poisson*
fishing *la pêche*
fizzy *gazeux/euse*
flan *la tarte*
to follow *suivre*
forty *quarante*
foot *le pied*
French *français(e)*
friend *copain (m)/copine (f)*
frightening *effrayant(e)*
fruit *le fruit*
funny *marrant(e)*
fur *le poil*

G

games room *la salle de jeux*
garlic *l'ail (m)*
I get dressed *je m'habille*
to get dressed *s'habiller*
get off *descendez* (vous command)
I get up *je me lève*
to get up *se lever*
I get washed *je me lave*
to get washed *se laver*
give me *donnez-moi* (vous command)
I go out *je sors*
to go out *sortir*
I go to bed *je me couche*
to go to bed *se coucher*
to go to the … *aller au/à la …*
I go *je vais*
to go *aller*
I'm going to go to the … *je vais aller au/à la …*
I'm going to see … *je vais voir …*
good-looking *beau/belle*
my grandfather *mon grand-père*
my grandmother *ma grand-mère*
my grandparents *mes grands-parents*
grape *le raisin*
greasy *gras(se)*
grey *gris(e)*
gymnastics *la gymnastique rythmique et sportive*

H

hair *les cheveux*
half-brother *le demi-frère*
half-sister *la demi-sœur*
half past … *… et demie*

ham *le jambon*
hand *la main*
I hate *je déteste*
I have *j'ai …*
I have a shower *je me douche*
to have a shower *se doucher*
have you? *avez-vous?*
to have *avoir*
hazel *noisette*
he *il*
head *la tête*
headache *mal à la tête*
her *son (m), sa (f), ses (pl)*
hiking *la randonnée*
his *son (m), sa (f), ses (pl)*
historical *historique*
my hobbies *mes passe-temps*
honey *le miel*
I hope *j'espère*
to hope *espérer*
horseriding *l'équitation (f)*
hot chocolate *le chocolat chaud*
how old are you? *quel âge as-tu?*

I

I *je*
an icecream *une glace*
to improve *améliorer*
Irish *irlandais(e)*
is *est*

J

jam *la confiture*
jeans *un jean*
a journey *un voyage*

K

kitchen *la cuisine*
knee *le genou*
to knock *frapper*

L

lazy *paresseux/euse*
to learn *apprendre*
I learned *j'ai appris*
leg *la jambe*
lemon *le citron*
a lemonade *une limonade*
less *moins*
lettuce *la salade*
I like *j'aime*
I don't like *je n'aime pas*
I would like *je voudrais/j'aimerais*
lip *la lèvre*
to listen to *écouter*
I listened to … *j'ai écouté …*
I live in … *j'habite à …*
to live *habiter*
love *l'amour (m)*
I love *j'adore*
lunch *le déjeuner*

M

main course *le plat principal*
map *la carte*
me *moi*
meal *le repas*
meat *la viande*
midday *midi*
milk *le lait*
mineral water *l'eau minérale*
more *plus*
morning *le matin*
my mother *ma mère*
mushrooms *les champignons (mpl)*
my *mon (m) ma (f) mes (pl)*

N

neck *le cou*
ninety *quatre-vingt-dix*
nose *le nez*
numbers *les nombres (mpl)*

O

onion *l'oignon (m)*
orange juice *le jus d'orange*
orchestra *l'orchestre (m)*
our *notre (sing), nos (pl)*
an outdoor centre *un centre aéré*

P

pasta *les pâtes*
peach *la pêche*
pear *la poire*
my penpal *mon/ma correspondant(e)*
pet *l'animal (m)*
pineapple *l'ananas (m)*
please *s'il vous plaît*
potatoes *les pommes de terre*

Q

quarter past … *… et quart*

R

rafting *le rafting*
rap music *le rap*
raspberries *les framboises*
I read *je lis/j'ai lu*
to read *lire*
red hair *les cheveux roux*
to rest *se reposer*
restaurant *le restaurant*
to return *rentrer*
I returned *je suis rentré(e)*
to revise *reviser*
rice *le riz*

S

sad *triste*
I saw *j'ai vu*
to say *dire*
Scottish *écossais(e)*
to see *voir*
to set off *partir*
seventy *soixante-dix*
seventy five *soixante-quinze*
she *elle*
shop *le magasin*
short hair *les cheveux courts*
to shut *fermer*
shy *timide*
sights *les monuments*
sister *la sœur*
six o'clock (p.m.) *dix-huit heures*
sixty *soixante*
skin *la peau*
small *petit(e)*
smaller *plus petit(e)*
to smoke *fumer*
sometimes *parfois, quelquefois*
sore feet *mal aux pieds*
sore throat *mal à la gorge*
souvenirs *les souvenirs*
to spend (time) *passer*
sporty *sportif/ive*
starters *les entrées*
I stayed *je suis resté(e)*
we stayed *nous sommes resté(e)s*
steak *le bifteck*
stepfather *le beau-père*
stepmother *la belle-mère*
stomach ache *mal au ventre*
sugar *le sucre*
supermarket *le supermarché*
to surf the (inter)net *surfer sur l'internet*
sweatshirt *le sweat*
sweets *les bonbons*
swimming *la natation*
Swiss *suisse*

T

table tennis *le ping-pong*
tail *la queue*
to take *prendre*
talkative *bavard(e)*
tartlet *la tartelette*
tea *le thé*
teeth *les dents (fpl)*
telephone booth *la cabine téléphonique*
a temperature *de la fièvre*
ten past … *… dix*
tennis *le tennis*
than *que*
thank you *merci*
that's all *c'est tout*
theatre *l'art dramatique*
their *leur(s)*
there is/are *il y a*
there isn't/aren't *il n'y a pas de*
three o'clock (p.m.) *quinze heures*
a tin *une boîte*

tiring *fatigant(e)*
toast *le pain grillé*
tomatoes *les tomates*
tongue *la langue*
I took *j'ai pris*
toothache *mal aux dents*
a tour *un tour*
by train *en train*
a tube *un tube*
twenty past … *… vingt*
twenty to … *… moins vingt*
twin brother *le frère jumeau*

U

use *utilisez* (*vous* command)

V

volleyball *le volley-ball*

W

waist *la taille*
I wake up *je me réveille*
to wake up *se réveiller*
to want *vouloir*
washrooms *les sanitaires (mpl)*
I didn't watch *je n'ai pas regardé*
to watch *regarder*
I watched *j'ai regardé*
water *l'eau (f)*
we *nous*
Welsh *gallois(e)*
I went shopping *j'ai fait les magasins*
I went *je suis allé(e)*
we went *nous sommes allé(e)s*
West Indian *antillais(e)*
when? *quand?*
why? *pourquoi?*
to win *gagner*
windsurfing *la planche à voile*
I wish *je veux*
to wish *vouloir*
with *avec*
I won *j'ai gagné!*
I would like *je voudrais*
to write *écrire*
I wrote *j'ai écrit*

Y

a yoghurt *un yaourt*
a youth hostel *une auberge de*

Les instructions

À deux.	*In pairs.*
À tour de rôle.	*Take turns.*
Ajoute.	*Add.*
Apprends ta description par cœur.	*Learn your description by heart.*
Choisis les images qui correspondent.	*Choose the pictures which match.*
Choisissez ensemble.	*Choose together.*
Copie et complète les bulles.	*Copy and complete the speech bubbles.*
Copie et complète les questions.	*Copy and complete the questions.*
Copie et remplis la grille.	*Copy and fill in the grid.*
Corrige les phrases qui sont fausses!	*Correct the sentences that are false.*
Déchiffre.	*Work out/decode.*
Discutez.	*Discuss.*
Discutez à deux.	*Discuss in pairs.*
Écoute.	*Listen.*
Écoute encore une fois et répète les réponses.	*Listen again and repeat the answers.*
Écoute et note.	*Listen and note down.*
Écoute et vérifie.	*Listen and check.*
Écris des phrases/un rapport.	*Write sentences/an account.*
Écris une réponse.	*Write a reply.*
Essaie encore.	*Try again.*
Fais correspondre les textes et les images.	*Match the words and pictures.*
Fais des recherches.	*Do some research.*
Fais un résumé.	*Summarise.*
Fais un résumé des résultats.	*Summarise the results.*
Faites un sondage de classe.	*Do a class survey.*
Il faut demander au professeur.	*We'll have to ask the teacher.*
Il faut le chercher dans le dictionnaire.	*We'll have to look it up.*
Interviewe ton/ta partenaire.	*Interview your partner.*
Jeu de logique.	*Brain teaser.*
Jeu de rôle.	*Role play.*
Jouez un sketch.	*Act out a sketch.*
Lis.	*Read.*
Lis et comprends.	*Read for comprehension.*
Lis et écoute.	*Read and listen.*
Lis et réponds.	*Read and reply.*
Pose des questions à ton/ta partenaire.	*Ask your partner questions.*
Prépare.	*Prepare.*
Prépare et enregistre une présentation.	*Prepare and record an account.*
Prépare tes réponses.	*Prepare your answers.*
Rangez-les de 1 à 5 par votre ordre de préférence.	*Number them 1–5 in order of preference.*
Réalise des pubs.	*Make up some adverts.*
Recopie.	*Write out.*
Recopie sans erreurs.	*Write out without mistakes.*
Réponds aux questions.	*Answer the questions.*
Ton prof le corrige.	*Your teacher corrects it.*
Ton/Ta partenaire te pose des questions.	*Your partner asks you questions.*
Trouve le bon conseil.	*Find the right piece of advice.*
Trouve le dessin qui correspond.	*Find the matching picture.*
Un mot qui veut dire ...	*A word that means ...*
Vérifiez.	*Check.*
Vrai ou faux?	*True or false?*